S0-AQM-417

SPA

To stay informed about upcoming TASCHEN titles, please request our magazine at www.taschen.com or write to TASCHEN, Hohenzollernring 53, D-50672 Cologne, Germany, Fax: +49-221-254919. We will be happy to send you a free copy of our magazine which is filled with information about all of our books.

© 2005 TASCHEN GmbH

Hohenzollernring 53, D–50672 Köln

www.taschen.com

Edited by: Allison Arieff, San Francisco

Design: Bryan Burkhart/MODERNHOUSE, San Francisco

Text by: Allison Arieff, Adrienne Arieff, Deborah Bishop, Irene Ricasio Edwards, San Francisco

Project management: Kathrin Murr, Cologne

Spanish translation: Pablo Álvarez Ellacuría for LocTeam, S. L., Barcelona

Italian translation: Claudia Di Loreto for LocTeam, S. L., Barcelona

Portuguese translation: João Carlos Antunes Brogueira for LocTeam, S. L., Barcelona

Typesetting and text editing: LocTeam, S. L., Barcelona

Printed in Italy

ISBN 3–8228–3223–5

SPA

ALLISON ARIEFF and BRYAN BURKHART

with ADRIENNE ARIEFF / DEBORAH BISHOP / IRENE RICASIO EDWARDS

TASCHEN

KÖLN LONDON LOS ANGELES MADRID PARIS TOKYO

Asia

Africa & Middle East

Caribbean

Europe

North America

Oceania

Mexico &
South America

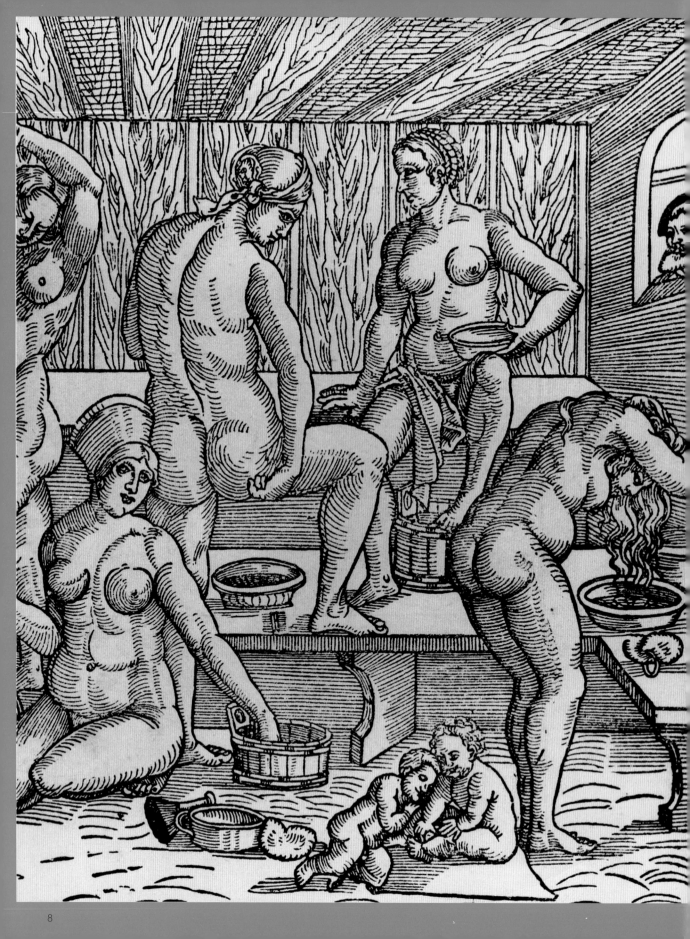

Introduction

When in doubt, take a bath

—MAE WEST

Para la mayoría de nosotros, el disfrute de un baño reparador se produce por lo general en casa, en la bañera, con espuma, quizá velas y, con un poco de suerte, paz y tranquilidad. La satisfacción que causan estos treinta o cuarenta minutos de reposo resulta innegable, pero no es ni mucho menos comparable al placer absoluto que supone la visita a un balneario. Tal vez sean necesarias veinticuatro horas, treinta y seis incluso, para olvidarnos del tráfico, las facturas, la oficina, en definitiva, todos los elementos que caracterizan nuestra vida en el mundo real. Pero una vez rendidos a todo cuanto un balneario puede ofrecernos –masajes que diluyen las preocupaciones cotidianas, paseos contemplativos (o excursiones vigorizantes) al amanecer, el dulce esfuerzo de una clase de yoga, la delicia de un desayuno que se alarga durante horas, el simple placer de sumergir la punta del pie en el mar o en la piscina–, ya no nos podremos conformar con la bañera. Las espectaculares instalaciones que presentamos a continuación, esparcidas desde Bali hasta Berlín, desde Palm Springs hasta París, no limitan su oferta al habitual abanico de masajes suecos y salas de vapor, sino que ofrecen una extraordinaria gama de tratamientos, actividades lúdicas y alojamientos. En ellos es posible programar un día que incluya avistamiento de ballenas, clases de cocina y reflexología. Pase la página y elija a dónde quiere ir...

La maggior parte di noi prova il piacere di un bagno caldo per lo più nella propria vasca. Tanta schiuma, magari pure le candele, ed è auspicabile anche un'atmosfera rilassante di pace e tranquillità. Trenta, quaranta minuti «rubati» al tran-tran quotidiano che rimettono al mondo, ma che sono comunque ben poca cosa rispetto all'autentica fuga dalla realtà che fa vivere un appuntamento in un centro benessere. Ci vogliono 24, forse anche 36 ore per lasciarsi alle spalle il traffico, le bollette – il tran-tran quotidiano tipico della vita che conduciamo nel mondo reale. Tuttavia, se ci lasciamo tentare dai trattamenti che il centro benessere prescelto può offrire – massaggi che liberano la mente da ogni preoccupazione, passeggiate contemplative (o impegnative arrampicate a piedi) all'alba, il dolce risveglio con una seduta di yoga sotto la guida di un maestro esperto; il piacere di fare colazione in tranquillità; la piacevole sensazione di immergersi in piscina o nelle acque dell'oceano – la vasca di casa ci starà stretta. Gli alberghi e i centri benessere censiti in questo libro – da Bali a Berlino, da Plam Springs a Parigi – propongono molto di più di un semplice massaggio svedese e del bagno turco e offrono, invece, agli ospiti una vasta scelta di trattamenti, attività ricreative e sistemazioni alberghiere. Nella stessa giornata si può avere l'opportunità di vedere le balene, partecipare a un corso di cucina e sottoporsi a una seduta di riflessologia. Cosa aspettate? Voltate pagina e scegliete la vostra destinazione...

Para a maioria de nós, a experiência mais parecida com um spa tem lugar na nossa própria banheira, com espuma, às vezes velas e, com sorte, paz e sossego. Embora os prazeres destas diversões de trinta ou quarenta minutos sejam bem reais, não são senão uma sombra da evasão total que se consegue com a visita a um spa. Esquecer o trânsito, as contas, o trabalho e todos outros os elementos quotidianos que caracterizam a vida no mundo real poderá demorar umas boas 24 horas, ou mesmo 36, mas depois de nos entregarmos a tudo o que um spa tem para nos oferecer – massagens que fazem desaparecer as preocupações do dia-a-dia, passeios de contemplação ou vigorosas caminhadas logo ao amanhecer, a deliciosa tensão de uma boa sessão de ioga, o luxo de passar uma hora à mesa do pequeno-almoço, o simples prazer de molhar os dedos dos pés na piscina ou no mar – a banheira nunca mais voltará a proporcionar satisfação total. De Bali a Berlim e de Palm Springs a Paris, aqui se descrevem lugares fantásticos onde poderá gozar de uma oferta que vai muito além da tradicional massagem sueca e do banho turco. Entregue-se a uma selecção fabulosa de tratamentos, actividades de lazer e alojamentos. Na verdade, é possível planear um dia com observação de baleias, uma aula de culinária e reflexologia. Agora, vire a página e descubra para onde quer ir...

—ALLISON ARIEFF

Africa & Middle East

Mövenpick Resort & Spa Dead Sea

El Mövenpick Resort & Spa del Mar Muerto es el más reciente de los 44 establecimientos propiedad de la cadena. Su ubicación junto al Mar Muerto le permite aprovechar la más destacada característica de éste: la alta concentración de sal en sus aguas, a las que se atribuyen propiedades curativas. El hotel Mövenpick ofrece baños rejuvenecedores de fango y sesiones equilibrantes de yoga, así como rituales de meditación y relajación a la orilla del mar. En lo tocante a tratamientos de balneario, el hotel alberga el Sanctuary Zara Spa, bajo la dirección del británico Sanctuary Spa Group. El balneario combina la arquitectura árabe tradicional con elementos modernos como la terraza con piscina abierta hacia el Mar Muerto. Especialmente populares son las termas del balneario, cada una de las cuales dispone de cabina de calor seco, cabina de vapor, zona de masaje jabonoso y varias salas de hidroterapia, con baños de flotación en seco, hidromasaje y bañeras para masajes hidroterapéuticos. La Sala de la Tranquilidad del balneario ofrece vistas al mar tras los arcos de las ventanas y la veranda. Existen también tratamientos más tradicionales, como manicura, pedicura y tratamientos faciales. El balneario, al igual que el resto del hotel, hace especial hincapié en el entorno interior y exterior a un tiempo.

TRATAMIENTO CARACTERÍSTICO: TERMAS

Il Mövenpick Resort & Spa of the Dead Sea è l'ultimo nato tra i 44 hotel della catena Mövenpick. Il complesso sorge sulle rive del Mar Morto e fa tesoro di quest'immenso patrimonio naturale – l'elevata concentrazione di sali dell'acqua, da sempre rinomata per le sue proprietà terapeutiche. Presso il centro benessere dell'albergo sono, infatti, disponibili trattamenti quali fanghi e la tecnica della *flotation rejuvenation*, sessioni di yoga, esercizi di meditazione e rilassamento sulle sponde del Mar Morto. Per quanto concerne i trattamenti termali, all'interno del complesso del Mövenpick sorge il Sanctuary Zara Spa, il centro termale gestito dal gruppo inglese Sanctuary Spa Group. L'ambiente del Sanctuary Zara Spa è dominato dal contrasto tra l'architettura in stile arabo tradizionale e le caratteristiche moderne quali la piscina a terrazza con bordi a sfioro, che consente di godere di una magnifica vista sul Mar Morto. Popolari sono anche i thermarium del centro termale, con sauna finlandese, bagno turco, sala massaggi con sapone e doccia tropicale al profumo di menta. Il centro benessere dispone, inoltre, di quattro sale per fangoterapia e diverse cabine per idroterapia, con bagni di galleggiamento secchi, doccia idromassaggio e vasca idromassaggio. Dalla veranda e dalle finestre ad arco della «sala della tranquillità» si gode una suggestiva vista sul Mar Morto. Sono disponibili anche trattamenti estetici più convenzionali quali manicure, pedicure e trattamenti viso. Nel centro benessere, come anche nel resto del complesso che ospita 340 stanze, è evidente lo stretto rapporto tra ambiente interno ed esterno.

TRATTAMENTO ESCLUSIVO: THERMARIUM

O Mövenpick Resort & Spa do Mar Morto é o mais recente dos 44 hotéis da cadeia Mövenpick. As instalações no Mar Morto concentram-se no aspecto mais exclusivo daquela zona: a elevada concentração de sal na água, a qual tem fama de ter propriedades terapêuticas. Nesse sentido, o Mövenpick propõe actividades tais como rejuvenescimento à base de tratamentos com lama e flutuação ou imersão passiva, bem como sessões de equilíbrio com ioga, meditação e rituais de relaxamento na margem do Mar Morto. Para os tratamentos de spa, o Mövenpick Resort & Spa Dead Sea dispõe do Sanctuary Zara Spa, gerido pelo Sanctuary Spa Group do Reino Unido. As linhas arquitectónicas do Sanctuary Zara Spa inspiraram-se na tradição árabe contrastando com equipamentos modernos como a piscina no terraço, cuja extremidade se debruça sobre o Mar Morto. Igualmente famosos são os *thermariums* do spa, cada um deles equipado com sauna, banho turco, sala de massagens com sabão e chuveiros tropicais onde se pode tomar um duche com aroma de menta. O spa conta ainda com quatro salas de terapia com lama e diversas suites de hidroterapia, com banheiras com almofadas de água aquecidas para imersão passiva, duche com hidromassagem e banheiras de hidroterapia. A «sala da tranquilidade» do spa desfruta de vistas para o mar através das janelas em arco e da varanda. Entre os tratamentos de spa mais convencionais incluem-se uma sala de *manicure* e *pedicure* e tratamentos faciais. O spa, assim como o resto do *resort* de 340 quartos, enfatiza o ambiente interior/exterior.

TRATAMENTO ESPECIAL: THERMARIUMS

Mövenpick Resort & Spa Dead Sea

Dead Sea Road, Sweimeh

11180 Amman, Jordan

TEL: +962 5 3561111

FAX: +962 5 3561122

EMAIL: resort.deadsea@moevenpick.com

WEBSITE: www.moevenpick-deadsea.com

Amanjena Resort & Spa

Amanjena significa 'plácido paraíso', y es un oasis entre las dunas y los secos vientos desérticos. Las monumentales piscinas del complejo hacen las veces de serenos puntos focales, envueltas en auténticos azulejos marroquíes y pálidos techos de arcilla. Los 28 pabellones y seis *maisons* de dos pisos se alzan sobre un fértil huerto de palmeras y venerables olivos. Los rosados muros de Amanjena recuerdan el amurallamiento de Marraquech, también llamada «la ciudad roja». Los edificios se basan en el diseño histórico de las antiguas estructuras *pisé* moriscas, así como en las aldeas bereberes esparcidas por la cercana región del Alto Atlas. El agua es el elemento unificador de Amanjena, en cuyo centro se abre un enorme depósito, en sus orígenes colector de agua para la irrigación. El balneario está justamente orgulloso de su *hammam*, o baño de vapor con tratamientos exfoliantes tradicionales. El balneario dispone también de sauna y sala de vapor separadas. Pueden recibirse masajes y tratamientos de todo tipo, faciales, exfoliantes, envolturas, baños y tratamientos estéticos. Si además de relajarse desea usted tonificar su cuerpo, el gimnasio de suelo enmaderado es el lugar perfecto para hacerlo.

TRATAMIENTO CARACTERÍSTICO: BAÑOS DE VAPOR

Il complesso dell'hotel Amanjena, che in arabo significa «paradiso di pace», è un'oasi di tranquillità tra le dune e i venti secchi del Sahara magrebino. L'intera struttura ruota intorno alle monumentali piscine circondate da piastrelle di mosaico smaltate a vetro autentiche e da tetti d'argilla. I 28 padiglioni delle terme e le sei palazzine a due piani che ospitano le «maison» sono ubicati al centro di un appezzamento fertile coltivato a palme e olivi. I muri di terra rosata ricordano la cinta muraria di Marrakech, meglio nota come la Città Rossa. Gli edifici del complesso alberghiero si rifanno alle planimetrie storiche di antiche strutture moresche in pisé (terra cruda), come anche ai villaggi berberi abbarbicati sulle pendici dell'Alto Atlante, che si erge non molto distante. L'acqua è il comune denominatore dell'hotel Amanjena, il cui centro è costituito da un'enorme vasca, che fungeva da bacino di raccolta dell'acqua a scopo irriguo. Il vanto del centro benessere è l'*hammam*, il bagno di vapore con i tradizionali trattamenti esfolianti. Sono a disposizione degli ospiti anche sauna e bagno turco. I servizi comprendono diversi tipi di massaggi e terapie alternative, trattamenti viso, scrub esfolianti, bendaggi rassodanti per il corpo, bagni e trattamenti estetici. Per tonificare il corpo e al tempo stesso rilassarsi la palestra con pavimento in parquet è il luogo ideale per mantenersi in forma.

TRATTAMENTO ESCLUSIVO: BAGNI DI VAPORE

Amanjena, que em árabe significa «paraíso sereno», é um oásis no meio das dunas e dos ventos secos do deserto de Marrocos. As piscinas monumentais do *resort* servem de tranquilos pontos focais, rodeados por autêntica azulejaria marroquina e telhados de barro da cor da areia. Os 28 pavilhões e seis *maisons* de dois andares do spa estão localizados numa zona fértil de palmeiras e oliveiras adultas. As paredes cor-de-rosa do Amanjena ecoam as muralhas da cidade de Marraquexe, que é conhecida como Cidade Vermelha. Os edifícios baseiam-se nos desenhos históricos das antigas estruturas mouriscas de *pisé* (terra compactada), assim como nas aldeias berberes que podemos encontrar junto às montanhas do Grande Atlas. A água é o elemento unificador do Amanjena, que ao centro tem uma enorme bacia, tradicionalmente utilizada como tanque para recolher água para a rega. O spa do Amanjena tem especial orgulho no seu *hammam* (banho turco) com tratamentos de esfoliação tradicionais. O spa dispõe ainda de uma sauna e sala de vapor separadas. Os serviços disponíveis incluem uma vasta gama de massagens e terapias alternativas, tratamentos de rosto, esfoliações, máscaras corporais, banhos e tratamentos de beleza. Quem para além de descontrair também pretender tonificar o corpo, encontra no ginásio com chão de madeira do Amanjena o lugar perfeito para fazer exercício.

TRATAMENTO ESPECIAL: BANHOS TURCOS

Amanjena Resort & Spa
Route de Quarzazate, Km 12
Marrakesh, Morocco

TEL: +212 44 403353
FAX: +212 44 403477
EMAIL: amanjena@amanresorts.com
WEBSITE: www.amanresorts.com

Santé Winelands Hotel & Wellness Centre

Winelands, un complejo de 90 habitaciones y *suites* sito en un tranquilo valle entre Franschhoek y Paarl, frente a un lago entre viñedos, en el corazón de la región vinícola de Sudáfrica, constituye el trasfondo perfecto para una experiencia curativa integral: la vinoterapia, tratamiento característico del balneario, para el que el Santé Wellness Centre emplea las uvas y el vino cosechados en los viñedos cercanos. El Santé es el único establecimiento que ofrece vinoterapia (a excepción de Les Sources de Caudalie, el balneario que transplantó sus técnicas y filosofía de Burdeos a este idílico emplazamiento sudafricano). La amplia serie de tratamientos basados en productos vitícolas (como semillas molidas y aceite, empleados en masajes, hidroterapia y exfoliaciones) relaja, rejuvenece y mejora la circulación. Otros tratamientos más tradicionales que aprovechan también la abundancia de los viñedos y bodegas cercanos pueden ser la envoltura completa con chardonnay o la envoltura de syrah. Los programas dietéticos y desintoxicantes del Santé combinan los productos orgánicos autóctonos con una cocina de cinco tenedores (es perfectamente admisible permitirse una copa del Syrah local con la comida). Santé ofrece asimismo *hammam*, serrallo, *tepidarium/laconium* y tratamientos sobre camas de agua. En el Santé puede practicarse también deporte: sesiones personales de entrenamiento, Pilates, *tai chi*, yoga, *footing*, ciclismo y equitación.
TRATAMIENTO CARACTERÍSTICO: VINOTERAPIA

Il complesso Winelands Estate, con 90 camere e suite, sorge in una tranquilla vallata tra Franschhoek e Paarl, affacciato su un lago, immerso nel verde dei vigneti della «regione del vino» del Sudafrica: è il rifugio ideale per sperimentare i benefici della medicina olistica. Per la vinoterapia, la caratteristica distintiva del centro, si utilizzano le uve coltivate nei vigneti limitrofi. Il centro Santé è l'unico luogo al mondo in cui è disponibile questo nuovo tipo di terapia, a parte il favoloso Les Sources de Caudalie di Bordeaux, in Francia, dove la tecnologia e la filosofia della vinoterapia sono nate per essere poi importate in quest'idilliaca regione sudafricana. Questa serie completa di trattamenti a base di derivati dell'uva - come semi pestati e olio d'uva per impacchi/massaggi, idroterapia e scrub esfolianti per il corpo - rilassa, ringiovanisce e migliora la circolazione. Altri trattamenti termali che sfruttano l'abbondanza dei vigneti e delle cantine della regione comprendono bendaggi quali il *cocoon wrap* con uve Chardonnay e lo *Shiraz body wrap*. I programmi dietetici e disintossicanti elaborati dagli esperti del centro Santé abbinano i prodotti biologici locali con una cucina di grande classe (e un bicchiere di Shiraz genuino è uno strappo alla regola consentito). Sono disponibili anche hammam, serail, tepidarium/laconium e trattamenti terapeutici eseguiti su un materasso ad acqua. A disposizione degli ospiti dell'hotel Santé sono, inoltre, le strutture per praticare diverse attività sportive, tra cui una palestra con servizio di personal training, metodo pilates, tai chi, yoga, jogging, passeggiate in bicicletta e a cavallo.
TRATTAMENTO ESCLUSIVO: VINOTERAPIA

A Winelands Estate, com 90 quartos e suites e situada num vale tranquilo entre Franschhoek e Paarl, com vista para uma herdade vinícola em plena actividade no coração da região vinhateira da África do Sul, constitui o ambiente ideal para uma experiência de bem-estar holística. Para a Vinoterapia, o tratamento emblemático do spa, o Santé Wellness Centre utiliza as uvas e o vinho cultivados e colhidos nas vinhas da região. O Santé é, para além de Les Sources de Caudalie (o spa francês que exportou as suas técnicas e filosofia para este lugar idílico na África do Sul) em Bordéus, o único lugar a proporcionar vinoterapia. Esta abrangente série de tratamentos usa produtos à base de uvas, tais como grainhas esmagadas e óleo de grainha de uva, para massagens, hidroterapia e esfoliações corporais, relaxando, rejuvenescendo e melhorando a circulação. Outros tratamentos de spa que tiram partido do magnífico património das vinhas e adegas da região incluem as máscaras corporais de Chardonnay e uma máscara corporal de Shiraz. Os programas de dieta e desintoxicação do Santé combinam produtos biológicos da região com uma gastronomia de cinco estrelas (sendo perfeitamente aceitável beber ocasionalmente um copo de Shiraz da região). A oferta do Santé fica completa com o *hammam*, serralho, tepidarium/laconium e tratamentos em cama de água. As actividades de *fitness* do Santé compreendem sessões de treino acompanhado, Pilates, tai chi, ioga, *jogging*, ciclismo e equitação.
TRATAMENTO ESPECIAL: VINOTERAPIA

Santé Winelands Hotel & Wellness Centre
Farm Simonsvlei
Klapmuts, Simondium
7625 South Africa

TEL: +27 21 8758200
FAX: +27 21 8758222
EMAIL: info@santewellness.co.za
WEBSITE: www.santewellness.co.za

The Chedi

Frondosos jardines de palmeras, elegantes piscinas de rebosadero continuo, una arquitectura omaní moderna y minimalista y una inacabable playa privada con vistas al golfo de Omán y la maravillosa sierra de Muscat hacen del Chedi un destino turístico extraordinario. Rodeado por las prístinas aguas del Océano Índico, el Chedi ha tomado buena nota del suntuoso estilo de vida de Su Majestad el Sultán y mima a sus visitantes con lujosas habitaciones, jardines y piscinas de fantasía y un restaurante de talla mundial. La decoración de las 161 habitaciones y residencias de este complejo playero de cinco estrellas es exquisita, y no se ha escatimado en ellas lujo alguno: bañeras, finísimas sábanas y gloriosas vistas del océano o las montañas de Muscat. En el elegante balneario del Chedi se ofrecen tratamientos que incluyen masajes tradicionales tailandeses, masajes japoneses en seco para liberar energías, y un masaje balinés para relajar la tensión. Los 90 minutos del característico masaje Chedi combinan la aromaterapia con las técnicas restauradoras occidentales: el paciente es masajeado rítmicamente de la cabeza a los pies con largos pases impredecibles y relajantes. Un masaje especial de pies utiliza esencias mediterráneas de enebro y mandarina para limpiar y rejuvenecer los pies mediante reflexología.

TRATAMIENTO CARACTERÍSTICO: MASAJE CHEDI

Giardini di palme lussureggianti, eleganti piscine con bordi che tendono a fondersi con il contorno, architettura minimalista contemporanea dell'Oman e una spiaggia privata apparentemente sconfinata da cui si gode un magnifico panorama sul Golfo di Oman e sulla catena montuosa del Muscat, fanno del Chedi un complesso molto prestigioso. Circondato dalle acque cristalline dell'Oceano Indiano, la struttura dell'albergo s'ispira allo sfarzoso stile di vita di Sua Maestà il Sultano e delizia i fortunati ospiti mettendo a loro disposizione camere lussuose, giardini e piscine che stimolano anche le fantasie più pigre e un ristorante di grande classe. L'arredo delle 161 camere moderne e ville private che costituiscono questo complesso a cinque stelle è molto raffinato, con una cura estrema per il dettaglio, che va dalle vasche incassate nel pavimento alla sontuosa biancheria ricamata per finire alle spettacolari vedute dell'oceano o della catena del Muscat. Il centro benessere, elegantemente arredato, offre trattamenti quali vari tipi di massaggi tra cui il tailandese tradizionale, il giapponese energizzante e il balinese rilassante. L'esclusivo massaggio Chedi combina l'aromaterapia alle tecniche termali occidentali: 90 minuti in cui le mani si muovono ritmicamente dalla testa ai piedi in un flusso rilassante, imprevedibile. Uno speciale massaggio con essenze mediterranee di ginepro e mandarino allevia e ringiovanisce i piedi attraverso la riflessologia.

TRATTAMENTO ESCLUSIVO: IL MASSAGGIO CHEDI

Luxuriantes jardins de palmeiras, elegantes piscinas que se fundem com a paisagem, arquitectura minimalista omanense contemporânea e praias privativas aparentemente intermináveis com vista para o Golfo de Omã e as magníficas cadeias montanhosas de Mascate são os ingredientes que fazem do Chedi um *resort* incontornável. Rodeado pelas brilhantes águas azuis do oceano Índico, o Chedi inspira-se no extravagante estilo de vida de Sua Alteza Real, o Sultão, mimando os afortunados hóspedes com quartos de luxo, jardins maravilhosos e um restaurante ao nível dos melhores do mundo. Nos 161 quartos modernos e vivendas privativas deste *resort* de praia de cinco estrelas, a decoração é requintada sem esquecer nenhum pormenor, desde banheiras embutidas a gloriosas vistas de mar ou das montanhas de Mascate, passando pela roupa de cama de altíssima qualidade. No elegante spa do Chedi, o menu de tratamentos inclui massagens tailandesas tradicionais, massagens japonesas sem óleos para libertar energias e massagens balinesas para aliviar a tensão. A emblemática Massagem Chedi especial tem a duração de 90 minutos, numa mistura de aromaterapia e técnicas de spa ocidentais: as mãos deslocam-se ritmadamente da cabeça aos pés num fluxo imprevisível e relaxante. Uma massagem especial nos pés recorre a essências mediterrânicas de zimbro e tangerina para purificar e rejuvenescer os pés através da reflexologia.

TRATAMENTO ESPECIAL: MASSAGEM CHEDI

The Chedi
North Ghubra 232
Way No. 3215, Street No. 46
Muscat, Sultanate of Oman

TEL +968 505035
FAX +968 504485
EMAIL chedimuscat@ghmhotels.com
WEBSITE www.ghmhotels.com

Ananda in the Himalayas

Ananda (que en sánscrito significa 'felicidad y contento') domina 40 hectáreas de ondulante bosque en la mística cordillera del Himalaya. Las 75 habitaciones del complejo, rodeadas de magníficos jardines, gozan de maravillosas vistas del río Ganges y de las colinas circundantes. El Ananda Wellness Center consta de 2.000 m² consagrados a la reanimación y rejuvenecimiento físico y espiritual, y ofrece una amplia variedad de talleres y clases de yoga y meditación. Los manantiales del Himalaya son parte indispensable de los tratamientos en Ananda: su agua se emplea en la sauna, en las salas de vapor, en los baños fríos y calientes y en los relajantes tratamientos de hidroterapia. Las terapias ayurvédicas, características del complejo, combinan centenarios remedios herbales con tratamientos occidentales más contemporáneos. La oferta de masajes abarca tratamientos suecos, tailandeses, aromaterapia, el tratamiento antiestrés Toque de Ananda, así como el íntimo masaje para parejas, que se desarrolla en la Kama Suite del complejo. El balneario emplea en sus tratamientos ingredientes naturales de probada eficacia, como la crema corporal antitoxinas de papaya. Más allá de los muros del balneario, los huéspedes pueden practicar el senderismo, montar en bicicleta, pescar truchas o *mahaseer* (un pez que alcanza los 2,5 metros de largo), lanzarse en balsa por las turbulentas aguas del Ganges o incluso partir de safari para observar tigres, elefantes y leopardos.

TRATAMIENTO CARACTERÍSTICO: TRATAMIENTOS AYURVÉDICOS

Il complesso dell'Ananda, che in antico sanscrito significa felicità e piacere, si estende su centinaia di ettari di foresta lussureggiante nella mistica regione dell'Himalaia. Settantacinque camere sparse tra magnifici giardini, tutte con vista spettacolare delle rive del Gange e delle colline circostanti. Il centro benessere, che si estende su una superficie di circa 2.000 metri quadrati, è dedicato principalmente al risveglio spirituale e al rinvigorimento fisico, attraverso una serie di corsi e workshop di yoga e meditazione. L'elemento del centro benessere dell'Ananda è l'acqua che sgorga dalle sorgenti dell'Himalaia, utilizzata per sauna, bagni di vapore, plunge pool (jacuzzi) calde e fredde, e per l'idroterapia antistress. Il centro benessere dell'Ananda si contraddistingue per l'ampia selezione di trattamenti ayurvedici di antica origine, tutti a base di erbe, che si combinano con le più moderne tecniche occidentali contemporanee. Sono disponibili diversi tipi di massaggi - svedese, tailandese, con aromaterapia, anti-stress («Ananda Touch») e l'intimo massaggio di coppia che si esegue nella Kama Suite. Il centro benessere sfrutta per i propri trattamenti le proprietà e i poteri di ingredienti naturali. Tra i tanti citiamo ad esempio il peeling disintossicante alla papaia. Oltre a rilassarsi presso il centro benessere, gli ospiti possono dilettarsi a fare trekking o passeggiate in mountain bike, oppure andare a pesca di trote o del possente *mahaseer* (un pesce che può raggiungere anche oltre i 2,5 metri di lunghezza), risalire le rapide del Gange o anche fare un safari per ammirare tigri, elefanti e leopardi.

TRATTAMENTO ESCLUSIVO: TRATTAMENTI AYURVEDICI

O Ananda (antiga palavra do sânscrito que significa «felicidade e contentamento») nos místicos Himalaias espalha-se por mais de 40 hectares de floresta ondulante na Ásia do Sul. Os 75 quartos implantados nos magníficos jardins gozam todos de vistas fabulosas para o rio Ganges e para as montanhas circundantes. O Centro de Bem-Estar do Ananda é composto por cerca de 2000 metros quadrados dedicados de forma suprema à revitalização espiritual e ao rejuvenescimento físico, propondo uma grande variedade de aulas de ioga e meditação, assim como *workshops*. Intrínseca aos tratamentos de spa do Ananda é a água mineral natural dos Himalaias que é utilizada na sauna, no banho turco, nos banhos de imersão quentes e frios e nos relaxantes tratamentos de hidroterapia. Os tratamentos ayurvédicos, que incorporam remédios seculares à base de plantas combinados com abordagens ocidentais mais modernas, são a imagem de marca dos tratamentos de spa com a chancela do Ananda. As terapias de massagem incluem a clássica massagem sueca, massagem tailandesa, massagem de aromaterapia, a relaxante massagem Ananda Touch e a massagem íntima Couples feita na suite Kama do spa. Os ingredientes naturais como o Detox Papaya Body Polish (esfoliante corporal purificante à base de papaia) são utilizados em tratamentos de spa pelas suas características e propriedades naturais. Fora das quatro paredes do spa, os hóspedes podem participar em caminhadas, passeios de bicicleta, ir à pesca de trutas ou do temível «mahaseer» (um peixe que cresce até dois metros e meio), descer os rápidos do Ganges ou fazer um safari para avistar tigres, elefantes e leopardos.

TRATAMENTO ESPECIAL: TRATAMENTOS AYURVÉDICOS

Ananda in the Himalayas

The Palace Estate

Narendra Nagar, Dist. Tehri-Garhwal

Uttaranchal, 249175, India

TEL: +91 1378 227500

FAX: +91 1378 227550

EMAIL: sales@anandaspa.com

WEBSITE: www.anandaspa.com

Alila Ubud

El Alila Ubud, en Bali, se asienta sobre una colina que domina bancales de arroz, una espesa vegetación tropical y el río Ayung. Fundido con su entorno, el balneario aúna sin esfuerzo las antiguas tradiciones asiáticas con el lujo contemporáneo. Un sendero de piedra conduce desde los alojamientos (56 habitaciones y 8 villas) hasta el balneario a través de un estanque de lotos. En el interior, los materiales autóctonos dominan el conjunto, con enmaderados de teca, suelos de reluciente madera de *bangkirai* y paredes recubiertas de seda acolchada. Las salas de tratamientos abren sus ventanas a un jardín privado en el que abundan los jazmines y gardenias que perfuman el cálido aire de la isla. Varias de las salas disponen de duchas exteriores en cascada. Una inmensa bañera cubierta de flores ofrece otra alternativa purificadora. Los productos curativos se obtienen a partir de ungüentos tradicionales preparados a diario con productos frescos. La exfoliación con café balinés, por ejemplo, limpia y suaviza la piel con una mezcla de café finamente molido y piedra pómez. El *boreh* balinés, del que se dice que elimina los dolores de cabeza y mejora la circulación, comienza con un enjuagado corporal con agua de lavanda; a continuación, se aplica una sustancia pastosa hecha de especias molidas y se cubre con vendas para que haga efecto; finalmente, un acondicionador de pepino deja una sensación de frescor en la piel y el cuerpo rejuvenecido.

TRATAMIENTO CARACTERÍSTICO: BOREH BALINÉS

L'Alila Ubud di Bali si erge sui pendii che dominano le risaie a terrazza, una lussureggiante foresta tropicale e il fiume Ayung. In perfetta armonia con l'ambiente, il complesso affianca in maniera eccellente le antiche tradizioni orientali e il lusso della società contemporanea. Un viale lastricato in pietra conduce dagli alloggi (56 camere e 8 ville) al centro benessere, passando attraverso uno stagno ricoperto di fiori di loto. Gli interni sono realizzati con materiali locali: armadi di tek, pavimenti di scintillante legno di Bangkirai e pareti rivestite di seta imbottita. Le cabine riservate ai trattamenti si affacciano su giardini coltivati a gelsomini e gardenie, che pervadono l'aria calda dell'isola dei loro gradevoli profumi. Numerosi sono i giochi d'acqua e le cascate. Un altro piacevole approccio al trattamento è rappresentato da una gigantesca vasca piena di fiori. I prodotti sono a base di unguenti tradizionali preparati con ingredienti freschi acquistati ogni giorno sul posto. Il Bali Coffee Scrub, ad esempio, è un trattamento esfoliante al caffè che leviga la pelle utilizzando una miscela di caffè e pomice vulcanica. Il Boreh balinese, che si dice dia sollievo alla cefalea e migliori la circolazione, inizia con un lavaggio calmante alla lavanda, cui segue un impacco a base di spezie tritate e riso fresco. Il corpo è quindi avvolto in bende di tela; infine, si applica un prodotto rinfrescante al cetriolo, che dà alla pelle una piacevole sensazione di fresco e dona al corpo un rinnovato vigore.

TRATTAMENTO ESCLUSIVO: BOREH BALINESE

O Alila Ubud, em Bali, está aninhado numa encosta com vista para as plantações de arroz em socalcos, a luxuriante vegetação tropical e o rio Ayung. Perfeitamente integrado na paisagem, o Mandara Spa combina sem esforço as antigas tradições asiáticas com o luxo contemporâneo. Um caminho empedrado conduz os hóspedes das vivendas (56 quartos e 8 *bungalows*) para o spa, atravessando um lago com flores de lótus. Lá dentro, os materiais típicos da região conferem-lhe um ambiente próprio, com gabinetes em teca, pavimentos de madeira Bangkirai brilhante e paredes forradas a seda almofadada. As salas de tratamento têm vista para os jardins privativos plantados com jasmim fresco e gardénias, que perfumam o ar quente da ilha. Muitas delas estão equipadas com chuveiros em cascata exteriores. Uma imensa banheira, cheia de flores, proporciona mais uma agradável abordagem à purificação. Os tratamentos baseiam-se em unguentos tradicionais preparados com ingredientes frescos comprados na região todos os dias. O Bali Coffee Scrub, por exemplo, suaviza e esfola com uma mistura de café de moagem fina e pedra-pomes. O Balinese Boreh, que tem fama de aliviar as dores de cabeça e melhorar a circulação, começa com um tranquilizante gel de banho de alfazema. Depois, é aplicada uma máscara – uma pasta feita com especiarias moídas e arroz triturado fino – que fica a fazer autênticas maravilhas sob um cobertor. Para finalizar, um refrescante creme hidratante à base de pepino deixa na pele uma sensação de frescura e o corpo sente-se rejuvenescido.

TRATAMENTO ESPECIAL: BALINESE BOREH

Alila Ubud
Desa Melinggih Kelod
Payangan, Gianyar 80571
Bali, Indonesia

TEL: +62 361 975963
FAX: +62 361 975968
EMAIL: ubud@alilahotels.com
WEBSITE: www.alilahotels.com

Begawan Giri Estate

Durante siglos, Begawan Giri fue conocida como «la montaña del hombre sabio», ocho hectáreas de serenidad escondidas entre las colinas esmeraldas y los ríos, selvas y arrozales del centro de Bali. Las doce villas y alojamientos del complejo se alzan a las afueras del centro cultural de Ubud, y en ellas se funden influencias asiáticas y europeas en una arquitectura espectacular. El arquitecto Cheong Yew Kuan procuró plasmar en cada residencia un aspecto único de la cultura indonesia, «desde una lujosa casa en un árbol al palacio de un maharajá», y llenó cada una de ellas con un mobiliario y una decoración exquisitos. (Un mayordomo personal asignado a cada residencia se ocupa de colmar todos los deseos, a cualquier hora.) Una empinada escalinata de piedra conduce a unos jardines acuáticos alimentados por los manantiales de la montaña; el balneario The Source se sitúa en la orilla del río Ayung, y encuentra su inspiración en las fuentes cercanas, así como en los rituales terapéuticos balineses. Los tratamientos pueden llevarse a cabo en pabellones exteriores o en la intimidad de la villa del huésped, que puede allí decantarse por las dos horas del Mandi Lulur ('tratamiento de boda real'), en el que se combina un masaje de estilo balinés con una mascarilla corporal de harina de arroz, cúrcuma y jazmín, seguidos de un baño floral. En consonancia con la espiritualidad de la región, es posible practicar yoga y terapias energéticas, así como asistir a las sesiones conducidas por maestros en diversas artes curativas.

TRATAMIENTO CARACTERÍSTICO: MANDI LULUR

Per secoli, il complesso di Begawan Giri è stato conosciuto come «la montagna dell'uomo saggio», un'oasi di pace e serenità di oltre 10 ettari, nascosta tra colline verde smeraldo, fiumi, foreste e risaie nella parte centrale dell'isola di Bali. Appena fuori dal centro culturale di Ubud, la struttura costituita da 12 ville è il risultato spettacolare della fusione tra lo stile architettonico asiatico ed europeo. L'architetto Cheong Yew Kuan ha progettato ogni residenza in modo che richiamasse un aspetto singolare della cultura indonesiana «da una lussuosa capanna sugli alberi al palazzo del maharaja», arredandola con mobili, oggetti d'arte e soprammobili di squisita fattura. (Un maggiordomo personale per ogni residenza è in servizio 24 ore su 24 per soddisfare ogni richiesta.) Una ripida scalinata di pietra conduce ai giardini d'acqua alimentati da sorgenti montane, allestiti da un architetto paesaggista; non lontano dal fiume sorge il centro benessere del complesso, The Source, che si ispira alle vicine fonti e anche ai riti curativi balinesi. Gli ospiti possono sottoporsi ai trattamenti in padiglioni all'aperto oppure nella privacy delle proprie camere. Tra i vari trattamenti disponibili si segnala il Mandi Lulur, che significa trattamento da matrimonio reale, una seduta di due ore durante la quale si è sottoposti a un massaggio balinese con fango a base di farina di riso, curcuma e gelsomino, seguito da un'immersione in un bagno di fiori. In linea con la spiritualità della regione, sono disponibili anche esercizi di yoga e trattamenti energizzanti, oltre alla possibilità di incontri con maestri esterni che praticano diverse filosofie curative.

TRATTAMENTO ESCLUSIVO: MANDI LULUR

Durante séculos, Begawan Giri foi conhecida como a «Montanha do Sábio», uma parcela de 8 hectares de serenidade escondida nas montanhas de esmeralda, rios, florestas e campos de arroz da região centro de Bali. Situada às portas do centro cultural de Ubud, a propriedade com 12 vivendas denota a fusão de influências de design asiáticas e europeias, gerando um efeito cénico. Na criação de cada uma das residências, o arquitecto Cheong Yew Kuan procurou evocar um aspecto único da cultura indonésia «desde uma casa na árvore de luxo até ao palácio de um marajá» e decorou-as com requintados artefactos, mobiliário e obras de arte. (Um mordomo pessoal atribuído a cada residência satisfaz qualquer pedido 24 horas por dia.) Uma íngreme escadaria de pedra conduz a jardins aquáticos perfeitamente integrados na paisagem e alimentados por nascentes de montanha; junto ao rio Ayung surge o spa The Source, que vai buscar a sua inspiração às nascentes das proximidades e aos rituais terapêuticos de Bali. Os tratamentos podem ser feitos em pavilhões exteriores ou na privacidade da vivenda do hóspede. Entre as opções disponíveis contam-se o Mandi Lulur («tratamento de casamento real»), um tratamento de duas horas que combina uma massagem ao estilo balinés e uma máscara corporal de farinha de arroz, açafrão e jasmim, seguido de uma imersão num banho de flores. Fiel à espiritualidade fundamental da região, o programa também contempla o ioga e os exercícios para reequilibrar as energias, complementados por sessões de mestres visitantes com formação nas várias formas de cura.

TRATAMENTO ESPECIAL: MANDI LULUR

Begawan Giri Estate
Ubud 80571
Bali, Indonesia

TEL: +62 361 978888
FAX: +62 361 978889
EMAIL: reservations@begawan.com
WEBSITE: www.begawan.com

Four Seasons Resort Bali at Sayan

A diez minutos de Ubud, centro cultural y artístico de la isla, se alza el hotel Four Seasons Resort Bali de Sayan, un exótico complejo compuesto de 18 *suites* exquisitas y 42 villas íntimas, cada una dotada de piscina. Todos los alojamientos gozan de magníficas vistas del verde valle del río Ayung. Sayan dispone también de tres villas balneario en las que se refleja la hermosa arquitectura balinesa del complejo. En ellas, los materiales naturales se combinan con elementos de diseño autóctono, como las preciosas fundas de muebles tejidas a mano en seda de Sulawesi, mesas de masaje especialmente diseñadas en terrazo y tejados de paja. Las villas balneario están pensadas para ofrecer tratamientos a parejas, y todas tienen acceso directo a pabellones de baño exteriores, en los que puede disfrutarse de una ducha de vapor. Los tratamientos con especias del balneario incluyen el tratamiento corporal con jengibre rojo, la envoltura en esencias de romero y albahaca y los masajes balineses. Si desea combinar la relajación con el lujo, pruebe el suntuoso tratamiento corporal Lulur Sayan, un ritual javanés de belleza que comienza con una vigorizante exfoliación herbal seguida de una refrescante aplicación de yogures. El placer continúa con un agradable baño en pétalos de *ylang-ylang* y un relajante masaje balinés en el que se usan fragantes lociones de flores de las montañas. Con el cuerpo y la mente rejuvenecidos, el ritual llega a su fin con una taza de elixir de hierbas *jamu*.

TRATAMIENTO CARACTERÍSTICO: LULUR SAYAN

A soli dieci minuti di Ubud, il centro artistico-culturale dell'isola, il complesso del Four Seasons Resort Bali di Sayan è un rifugio esotico dotato di 18 suite molto eleganti e 42 ville appartate, ognuna con la propria jacuzzi privata. Tutti gli alloggi si affacciano sull'incantevole valle verdeggiante del fiume Ayung. Il centro benessere si articola in tre edifici che rispecchiano l'elegante architettura balinese dell'albergo. Materiali naturali e design orientale si combinano dando vita ad elementi che infondono un senso di pace e serenità, quali tappezzerie in seta Sulawesi tessuta a mano, letti per massaggi personalizzati in terrazzo e tetti di paglia. Sono disponibili, inoltre, trattamenti di coppia e ogni edificio è collegato con padiglioni esterni in cui si possono effettuare rilassanti docce di vapore. Tra i trattamenti alle erbe aromatiche disponibili presso il centro benessere da citare il peeling corpo al ginger rosso, il bendaggio per il corpo al rosmarino e basilico e il massaggio balinese. Se volete provare il non plus ultra del rilassamento e del lusso concedetevi il piacere di un Lulur Sayan, un trattamento corpo attuato secondo un rituale estetico giavanese, che prevede un trattamento esfoliante rinvigorente alle erbe seguito da un bagno rinfrescante allo yogurt. Le coccole continuano poi con un bagno calmante di petali di ylang-ylang e un rilassante massaggio balinese con una lozione profumata ai fiori di montagna. Quando il corpo e lo spirito si sono rinvigoriti, un elisir alle erbe jamu completa il rituale.

TRATTAMENTO ESCLUSIVO: LULUR SAYAN

Situado a apenas dez minutos de distância de Ubud, o centro cultural e artístico da ilha, o Four Seasons Bali at Sayan é um retiro exótico com 18 suites magnificamente decoradas e 42 vivendas isoladas, todas elas dispondo de uma pequena piscina privativa. Todos os alojamentos para hóspedes desfrutam de esplendorosas vistas sobre o verdejante vale do rio Ayung. Sayan tem três vivendas spa que reflectem a elegante arquitectura balinesa do *resort*. Os materiais naturais combinam-se com os desenhos nativos em elementos fabulosos como os panos decorativos em seda de Sulawesi tecidos à mão, mesas especiais de massagem em *terrazzo* e telhados de colmo. Nas vivendas spa podem realizar-se tratamentos conjuntos para casais, existindo uma ligação para pavilhões de banho exteriores onde os hóspedes têm à sua disposição cabinas de vapor. Entre os tratamentos com especiarias disponíveis no spa incluem-se a esfoliação corporal com gengibre vermelho, a máscara corporal com manjericão e rosmaninho e a massagem balinesa. Para sentir os efeitos da descontracção total com todo o luxo, experimente o sumptuoso tratamento corporal Lulur Sayan, um ritual de beleza javanês que começa com uma revigorante esfoliação com creme à base de plantas seguida de um refrescante banho de iogurte. Os mimos continuam com uma suave imersão em água e pétalas de ylang-ylang e uma relaxante massagem balinesa em que é aplicada uma loção corporal perfumada com flores da montanha. Quando estiver concluído o rejuvenescimento do corpo e da mente, é servido um elixir à base de plantas jamu para completar o ritual.

TRATAMENTO ESPECIAL: LULUR SAYAN

Four Seasons Resort Bali at Sayan
Sayan, Ubud, Gianyar 80571
Bali, Indonesia

TEL +62 361 977577
FAX +62 361 977588
EMAIL world.reservations@fourseasons.com
WEBSITE www.fourseasons.com

Waroeng Djamoe Spa at Hotel Tugu Bali

El Hotel Tugu Bali fue construido para recrear y conservar la vida, la cultura y el encanto del Bali de antaño. Ubicado en el distrito de Canggu, cerca de una antigua aldea de pescadores, el Hotel Tugu Bali se asienta entre los exuberantes arrozales que rodean el templo de Batu Bolong, uno de los lugares santos de la isla. El complejo dispone de playa propia para la práctica del *surf*, y está a 15 minutos en coche de las célebres áreas turísticas de Kuta y Legian. En torno a los estanques de lotos (y a veces sobre ellos) se alzan 22 pabellones y *suites* construidos al tradicional estilo balinés; todos destacan por el lujo y el exotismo de su interior. El balneario combina espiritualidad con tratamientos corporales para alcanzar la relajación completa. Los tratamientos en Waroeng Djamoe se valen de métodos tradicionales balineses y de ingredientes naturales. Entre los tratamientos exclusivos del balneario se cuentan el Gemulai Penari Bali, un relajante tratamiento de ocho horas, el Pijitan Dandang Watoe (un masaje con piedras calientes de dos horas) y el Mandi Lulur, inspirado en la tradicional ceremonia prenupcial javanesa que la novia cumple durante la semana previa al día de la boda. El paquete Gourmet de Tugu Bali es un programa más destinado a conservar y perpetuar las tradiciones balinesas: en él se incluye de todo, desde clases de cocina a banquetes tradicionales y el té del atardecer.

TRATAMIENTO CARACTERÍSTICO: GEMULAI PENARI BALI

L'Hotel Tugu di Bali è stato costruito per ricreare e preservare la vita, la cultura e l'atmosfera del passato tipiche di Bali. Ubicato nella regione di Canggu, un antico villaggio di pescatori, l'albergo sorge tra le rigogliose risaie che si estendono non lontano dal Batu Bolong Temple, uno dei luoghi sacri di Bali. Il complesso, con spiaggia privata dove è possibile praticare il surf, dista solo 15 minuti dalle incantevoli località turistiche di Kuta e Legian. Ventidue lussuose suite e padiglioni dai tetti di paglia costruiti nel più tradizionale stile balinese sorgono a fianco o sopra stagni ricoperti di lotus selvatici – il lusso esotico è lo standard comune. Nel centro benessere spiritualità e trattamento fisico si affiancano per condurre gli ospiti al completo rilassamento. I trattamenti disponibili presso il centro benessere Waroeng Djamoe Spa applicano i metodi balinesi tradizionali e utilizzano tutti ingredienti naturali. Servizi esclusivi sono il Gemulai Penari Bali (trattamento della durata di otto ore), il Pijitan Dandang Watoe (massaggio di due ore su un letto di pietra riscaldata) e il Mandi Lulur (che s'ispira alla tradizione giavanese secondo la quale la donna ogni giorno, per tutta la settimana che precede la celebrazione del matrimonio, deve sottoporsi a questo tipo di trattamento). Altre proposte tipiche che contribuiscono a preservare e a tramandare le tradizioni culturali indonesiane sono il Tugu Bali's Gourmet Package, un pacchetto completo che comprende lezioni di cucina, pasti tradizionali giavanesi e anche l'eccellente *high* tea da sorseggiare al tramonto.

TRATTAMENTO ESCLUSIVO: GEMULAI PENARI BALI

O hotel Tugu Bali foi construído para recriar e preservar a vida, a cultura e o romantismo do passado de Bali. Situado na região de Canggu, perto de uma antiga aldeia piscatória balinesa, o hotel Tugu Bali está instalado no seio de luxuriantes arrozais perto do templo de Batu Bolong, um dos locais mais sagrados de Bali. O *resort*, que dispõe da sua própria praia para o surf, está a apenas 15 minutos de carro das encantadoras zonas turísticas de Kuta e Legian. Vinte e dois pavilhões e suites de luxo com telhados de colmo construídos ao estilo tradicional balinês erguem-se nas margens ou sobre lagos com flores de lótus, sendo o luxo exótico uma presença constante. O spa combina espiritualidade com tratamento físico para proporcionar a máxima descontracção. O Waroeng Djamoe Spa oferece tratamentos utilizando métodos tradicionais balineses apenas com ingredientes naturais. Entre as propostas exclusivas incluem-se o Gemulai Penari Bali, um extravagante tratamento de oito horas num dia, o Pijitan Dandang Watoe (uma massagem de duas horas com pedras quentes) e o Mandi Lulur, inspirado na preparação para a cerimónia de casamento tradicional javanesa que uma mulher recebe todos os dias na semana que antecede a cerimónia do casamento. Outras propostas distintivas que ajudam a preservar e a perpetuar as tradições culturais da Indonésia incluem o pacote *gourmet* do Tugu Bali, que inclui tudo desde aulas de culinária a refeições tradicionais javanesas e chá servido ao pôr-do-sol.

TRATAMIENTO ESPECIAL: GEMULAI PENARI BALI

Waroeng Djamoe Spa at Hotel Tugu Bali
Jl. Pantai Batu Bolong
Canggu Beach
Bali, Indonesia

TEL: +62 361 731701
FAX: +62 361 731704
EMAIL: bali@tuguhotels.com
WEBSITE: www.tuguhotels.com

Losari Coffee Plantation Resort & Spa

Destino perfecto quizá para el adicto a la cafeína en busca de relax, el Losari Resort and Spa se alza en medio de una plantación de café de 24 hectáreas en el altiplano de Java. El balneario, diseñado por los arquitectos italianos Andrea y Fabrizio Magnaghi, es un compendio de distintos estilos arquitectónicos. Cada edificio tiene un aire diferente, que abarca desde el estilo colonial holandés hasta el *limasan* javanés. El vestíbulo, con sus mosaicos azules, el suelo de mármol blanco y la música autóctona que flota por sus salas, exuda un ambiente oriental. El balneario de Losari dispone de seis salas de tratamiento privadas, así como de una unidad doble para parejas y un *hammam*, un baño de vapor tradicional turco de tres salas. Cada sección está equipada para tratamientos tradicionales con agua y en seco. En la planta inferior, las salas tienen un *jacuzzi* privado desde el que se puede disfrutar de vistas al valle. Los tratamientos incluyen recetas herbales indonesias y tratamientos tradicionales de belleza de los palacios reales javaneses. Además de disfrutar de ingentes cantidades de café, los huéspedes pueden aprender más a propósito de éste bien de cerca: la propietaria de Losari, Gabriella Teggia, ha diseñado una serie de visitas diarias a las montañas y aldeas de la plantación para resaltar las técnicas tradicionales que siguen hoy en uso. De este modo, el visitante puede apreciar la historia y la importancia del café en la isla de Java.

TRATAMIENTO CARACTERÍSTICO: MASAJE LOSARI

Destinazione ideale per caffeinomani in cerca di relax, il Losari Resort and Spa si trova nel cuore di una piantagione attiva di caffè di 24 ettari sull'altipiano centrale di Giava. Il centro termale, progettato dagli architetti italiani Andrea e Fabrizio Magnaghi, combina diversi stili architettonici. Ogni edificio emana un'atmosfera diversa, dallo stile coloniale olandese al *limasan* giavanese. La lobby trasmette suggestioni orientali con il suo mosaico di piastrelle azzurre, i pavimenti di marmo bianco e l'accattivante musica locale diffusa nei vari ambienti. Il centro termale dispone di sei salette private per i trattamenti, di cui una doppia, e di un hamam – un bagno turco tradizionale a tre sale. Ogni sua parte è attrezzata per i trattamenti tradizionali, sia a base di acqua, sia a secco. Le camere del piano inferiore sono dotate di idromassaggio privato da cui si gode un panorama mozzafiato sulla vallata. I trattamenti coniugano ricette indonesiane a base d'erbe e antiche cure di bellezza usate nei Palazzi reali giavanesi. Quando non sono troppo impegnati a degustare il caffè, gli ospiti possono apprendere tutto su questo prodotto direttamente sul campo: la titolare del Losari, Gabriella Teggia, ha ideato una serie di escursioni di una giornata sulle montagne e nei paesini della piantagione, che permettono di conoscere le tecniche tradizionali utilizzate ancor oggi. In questo modo, i visitatori sono in grado di apprezzare fino in fondo la storia e l'importanza del caffè sull'isola di Giava.

TRATTAMENTO ESCLUSIVO: MASSAGGIO LOSARI

Este bem poderá ser o destino perfeito para os viciados em cafeína que querem relaxar: o Losari Resort and Spa está implantado numa plantação de café em plena actividade, que ocupa 24 hectares das montanhas da região centro de Java. O spa, concebido pelos arquitectos italianos Andrea e Fabrizio Magnaghi, nasce da fusão de vários estilos arquitectónicos. Cada vivenda segue uma orientação diferente, desde a arquitectura colonial holandesa ao *limasan* javanês. No átrio, respira-se um ambiente ocidental com os azulejos de mosaico azul, chão de mármore branco e a música ambiente da região que percorre as divisões. O spa do Losari dispõe de seis salas de tratamento privativas, com uma unidade dupla para casais, assim como um *hamam*, um banho turco tradicional com três divisões. Cada secção está devidamente equipada para tratamentos tradicionais com e sem águas. No piso inferior, os quartos têm jacuzzi privativo com uma vista panorâmica sobre o vale. Os tratamentos incorporam receitas indonésias à base de plantas e tratamentos de beleza tradicionais dos Palácios Reais Javaneses. Quando não se estão a deliciar com o café, os hóspedes podem aprender muito sobre esta bebida na propriedade: Gabriella Teggia, a proprietária do Losari, organiza diversas excursões diárias pelas montanhas e aldeias da plantação de café para realçar as técnicas tradicionais que ainda hoje são usadas. Deste modo, o visitante pode ficar a conhecer a história e o significado do café na ilha de Java.

TRATAMENTO ESPECIAL: MASSAGEM LOSARI EXPERIENCE

Losari Coffee Plantation Resort & Spa
PO Box 108
Magelang 56100
Central Java, Indonesia

TEL: +62 298 596333
FAX: +62 298 592696
EMAIL: info@losaricoffeeplantation.com
WEBSITE: www.losaricoffeeplantation.com

Inn Seiryuso

Reina el silencio, sólo roto por el borboteo de un manantial de montaña y el canto de los pájaros. Pabellones hábilmente construidos entre los sauces y el bambú. Un jardín japonés rastrillado y esculpido hasta la perfección. Vapores emergentes de lagunas tranquilas y profundas. El Inn Seiryuso, posada tradicional *ryokan*, ofrece zen y el arte del *onsen*, los baños termales inherentes a la cultura japonesa. Aquí, al igual que en buena parte del campo, los manantiales subterráneos expulsan aguas bullentes que han dado pie a la pasión nacional por el baño, hasta tal punto que el rito del aseo está tan arraigado en la tradición como la ceremonia del té. Ataviados con los tradicionales *yukata* (albornoces de fino algodón), los bañistas son conducidos a borboteantes bañeras privadas talladas en pizarra verde cuyas formas invitan al disfrute. Junto a la bañera hay cubos y cazoletas para el aseo previo al baño, una purificación ritual que precede a la inmersión en las humeantes aguas, cuyos 40 °C de temperatura disuelven cualquier vestigio de estrés. Una neblina que flota sobre las aguas primero oculta y luego descubre las montañas circundantes. Ya relajados y en un estado de somnolienta euforia, los huéspedes pueden disfrutar de *shiatsu*, reflexología y otras técnicas de masaje en la privacidad de sus dormitorios. Al caer la tarde se extienden edredones sobre los tatamis de paja que alfombran las habitaciones: el sueño está garantizado.

TRATAMIENTO CARACTERÍSTICO: BAÑOS TERMALES ONSEN

Silenzio interrotto solo dal gorgoglio delle acque di un torrente di montagna e dal melodioso canto degli uccelli. Padiglioni artisticamente disposti tra salici e bambù. Un giardino giapponese perfettamente rastrellato e scolpito a rasentare una tranquilla perfezione. Vapore che sale da vasche calme e profonde. Il complesso dell'Inn Seiryuso, una tradizionale locanda ryokana, offre lo zen e l'arte dell'onsen, i bagni di acqua termale calda così intimamente connessi con la cultura giapponese. Qui, come in gran parte della campagna, sorgenti sotterranee forniscono l'acqua bollente che è all'origine della passione nazionale per i bagni e per il rituale della purificazione che è radicato nella tradizione indigena quasi quanto la cerimonia del tè. Dopo aver indossato lo *yukata*, la tipica veste di cotone sottile, gli ospiti sono fatti accomodare in gorgoglianti vasche da bagno private di ardesia verde, dalle forme tondeggianti fatte apposta per sognare. Secchi e mestoli sono a disposizione a fianco di ogni vasca per bagnarsi prima di immergersi nelle acque fumanti che raggiungono la temperatura di 40° C, l'ideale per liberarsi di ogni stress. La nebbiolina che si forma sull'acqua copre alla vista le montagne circostanti fino a che non si dissolve per svelarle in tutto il loro splendore. Allentata ogni tensione, come in uno stato di leggera euforia, gli ospiti possono scegliere tra un massaggio shiatsu, una seduta di riflessologia o altre tecniche di massoterapia, da effettuarsi nella privacy delle proprie camere. Al calar delle tenebre, sui tatami di paglia che ricoprono il pavimento delle camere vengono aperti i futon: una buona dormita è quasi una garanzia.

TRATTAMENTO ESCLUSIVO: ONSEN, BAGNI DI ACQUA TERMALE CALDA

Silêncio... Salvo o burburinho de um riacho que corre da montanha e a harmonia do canto de uma ave. Pavilhões graciosamente dispostos entre salgueiros e bambu. Um jardim japonês em declive esculpido com uma perfeição serena. O vapor a elevar-se de piscinas serenas e profundas. O Inn Seiryuso, uma estalagem tradicional *ryokan*, propõe um ambiente Zen e a arte de *onsen*, os banhos termais quentes tão característicos da cultura japonesa. Aqui, como em grande parte das zonas rurais, jorra das nascentes subterrâneas a água escaldante que motivou a paixão nacional pelos banhos e um ritual purificador tão enraizado na tradição como a cerimónia do chá. Trajando um *yukata*, a veste tradicional de algodão fino, os banhistas são conduzidos a borbulhantes banheiras privativas esculpidas em ardósia verde, com formas arredondadas para intensificar o prazer. À beira da piscina há baldes e conchas para o ritual de lavagem que antecede a imersão nas águas fumegantes, que chegam a atingir os 40°, capazes de dissolver qualquer ponta de stresse. Os vapores pairam sobre a água, ora ocultando ora revelando as montanhas circundantes. Completamente descontraídos e num estado de suave euforia, os hóspedes podem entregar-se ao shiatsu, à reflexologia e a outras técnicas de massagem na privacidade dos seus quartos. À medida que cai a noite, são espalhados *futons* sobre os colchões de palha *tatami* que cobrem os quartos, garantindo uma boa noite de sono.

TRATAMENTO ESPECIAL: BANHOS TERMAIS QUENTES ONSEN

Inn Seiryuso
2-2 Kouchi, Shizuoka-Shi
Shimoda-ken, 415-0011
Japan

TEL: +81 558 22 13 61
FAX: +81 558 23 20 66
EMAIL: info@seiryuso.co.jp
WEBSITE: www.seiryuso.co.jp

Ark Hills Spa

El complejo de Ark Hills Spa fue construido con un claro propósito en mente: lograr que sus huéspedes alcancen una salud mental y física equilibrada. Los británicos Conran & Partners han diseñado un hermoso complejo contemporáneo en el que albergar este balneario, situado en Ark Towers, en Tokio, lo que lo convierte en una excelente base para viajes de negocios a Japón. El área de recepción, con acabados en cedro, se abre hacia la principal zona de circulación, que a su vez está rodeada por una pared de vidrio de iluminación posterior. El color cambia constantemente para crear distintos ambientes. El efecto general sobre el espacio es de claridad, minimalismo y vocación futurista, una interesante alternativa a los recintos tradicionales japoneses. El Ark Hills Spa ofrece una amplia gama de masajes: ayurvédicos, *shiatsu*, profundos y deportivos. La acupuntura es otra opción disponible. La batería de tratamientos estéticos de Ark Hills fue diseñada para revitalizar rostro y cuerpo; buena muestra de ello es la mascarilla facial Don del Océano. La modernísima sauna, la bañera con chorros a presión y el *jacuzzi* despabilan los sentidos y reducen la fatiga corporal. A disposición del huésped quedan también programas de *fitness*, desde estiramientos a aeróbic.

TRATAMIENTO CARACTERÍSTICO: TRATAMIENTOS AYURVÉDICOS

Il complesso dell'Ark Hills Spa è stato creato con il precipuo scopo di permettere agli ospiti di raggiungere il perfetto equilibrio di buona salute del corpo e dello spirito. Conran & Partners, la società inglese cui è stata affidata la progettazione, ha allestito un bellissimo ambiente contemporaneo per questo lussuoso centro benessere che ha sede nell'Ark Towers di Tokyo, base ideale per coloro che si recano frequentemente in Giappone per lavoro. La reception con pareti rivestite di legno di cedro immette gli ospiti verso il corridoio principale circondato da una rilucente parete di vetro retroilluminata. I colori delle pareti cambiano costantemente, creando ambienti diversi. L'impressione globale è di uno spazio luminoso, minimalista e per certi aspetti futurista, un'interessante alternativa alle più tradizionali strutture giapponesi. Il centro offre un'ampia selezione di tipi di massaggi, tra cui quello ayurvedico, shiatsu e dei tessuti profondi, e attività sportive. Si possono effettuare anche sedute di agopuntura. La linea di trattamenti estetici che Ark Hills offre, tra cui il trattamento viso denominato Gift from the Ocean, si prefigge di ridonare vitalità al viso e al corpo. La sauna realizzata secondo le ultime tecnologie del settore, il bagno a getti e l'idromassaggio Jacuzzi risvegliano i sensi e alleviano la stanchezza. Sono disponibili anche programmi per mantenere o recuperare la forma fisica, che vanno dallo stretching all'aquagym all'aerobica.

TRATTAMENTO ESCLUSIVO: TRATTAMENTI AYURVEDICI

O Ark Hills Spa foi criado apenas com um objectivo: proporcionar o equilíbrio perfeito do bem-estar mental e corporal. A empresa britânica Conran & Partners concebeu um magnífico ambiente contemporâneo para este luxuoso *health and fitness club*, situado nas torres Ark em Tóquio, uma base ideal para os viajantes de negócios que visitam frequentemente o Japão. A área da recepção dominada pela madeira de cedro abre-se para a principal zona de circulação, rodeada por uma parede de vidro brilhante retroiluminada. O ciclo de cores muda constantemente, criando ambientes distintos. O efeito global do espaço, uma alternativa interessante aos retiros japoneses mais tradicionais, é luminoso, minimalista e levemente futurista. O Ark Hills propõe uma extensa lista de tratamentos com massagens ayurvédicas, shiatsu, massagens musculares profundas e desporto. Também é possível fazer acupuntura nas instalações do spa. O menu de tratamentos de beleza do Ark Hills, como a máscara facial Gift from the Ocean, foi concebido para restaurar a vitalidade facial e corporal. Os excelentes equipamentos de sauna, hidromassagem e jacuzzi revigoram os sentidos e diminuem a fadiga corporal. A oferta contempla ainda programas de *fitness*, que vão desde alongamentos a hidroginástica e aeróbica.

TRATAMENTO ESPECIAL: TRATAMENTOS AYURVÉDICOS

Ark Hills Spa
1-3-39 Roppongi
Minato-ku 106 0032
Tokyo, Japan

TEL: +81 3 55732830
FAX: +81 3 55732835
EMAIL: ahs-front@mori.co.jp
WEBSITE: www.hillsspa.com

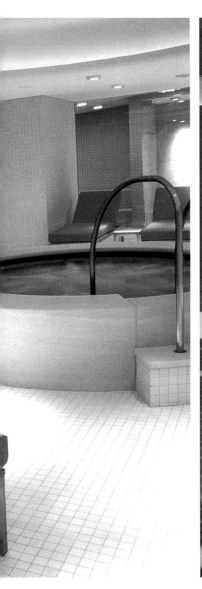

Roppongi Hills Spa

El Roppongi Hills Spa se enmarca en el nuevo complejo de Roppongi en Tokio; en él se encuentran también el hotel Grand Hyatt (de 389 habitaciones y *suites*), un cine multisalas, un centro de arte, un edificio de negocios, residencias de lujo y exclusivas tiendas y restaurantes. Los miembros del Club Roppongi pueden refugiarse del bullicio de Tokio en este sofisticado balneario de 1.800 m², diseñado por los británicos Conran & Partners. El balneario está concebido como un viaje con el que escapar de la tensión, el estrés y la fatiga de la vida urbana; así, el visitante cruza una serie de capas y umbrales que le transportan a un estado ulterior de calma y serenidad. Para acentuar el concepto de viaje, el equipo de diseñadores desarrolló dos áreas separadas: la zona preparatoria (un área de purificación y comedimiento para el reposo) y la restauradora, cuya vibrante atmósfera contribuye a la estimulación. Las taquillas, duchas y vestuario de la parte preparatoria ayudan a los visitantes a relajarse, en el paso previo al proceso restaurador que se avecina. La parte restauradora del balneario contribuye a la purificación, estimulación, meditación y rejuvenecimiento con una serie de baños de burbujas y bañeras, una piscina y salas de tratamiento. Los vivos colores reinantes crean una atmósfera estimulante acorde con las actividades que se desarrollan en el centro.

TRATAMIENTO CARACTERÍSTICO: MASAJE SHIATSU

Il centro benessere Roppongi Hills Spa, opera della società inglese Conran & Partners, è situato nel nuovo complesso Roppongi di Tokyo, in Giappone, che ospita anche un nuovo albergo della catena Grand Hyatt (con 389 camere e suite), una multisala cinematografica, un art center, una torre riservata solo per uffici, residence di lusso, e negozi e ristoranti alla moda. Il sofisticato ambiente del centro benessere, che si estende su 1.800 metri quadrati, offre ai soci del Roppongi Club la possibilità di fuggire dal trambusto di Tokyo. Il progettista ha immaginato che il visitatore compia un viaggio attraverso il quale si libera dalla tensione, dallo stress e dalla fatica della vita metropolitana. È per questo che passa attraverso una serie di dislivelli e soglie che lo predispongono in uno stato di calma, serenità. Per accentuare l'idea del viaggio attraverso il centro benessere, gli architetti hanno previsto due aree ben distinte: l'area dei «preliminari» – un ambiente ristretto in cui depurarsi e calmarsi - e l'area del «ristoro» - con un'atmosfera più vibrante, che favorisce una rinnovata stimolazione. Gli armadi, le docce e gli spogliatoi si trovano tutti nell'area dei preliminari e hanno lo scopo di preparare al processo ristoratore che si avvia nell'altra area. L'area del «ristoro» del centro benessere è destinata a migliorare la purificazione, la stimolazione, la meditazione e il rinvigorimento, con vasche idromassaggio, vasche di immersione, una piscina e cabine per i trattamenti. Spazi tinteggiati in colori vivaci, come le cabine per i trattamenti, creano l'ambiente ideale in cui sottoporsi alle attività stimolanti e piacevoli che vi si svolgeranno.

TRATTAMENTO ESCLUSIVO: MASSAGGIO SHIATSU

O Roppongi Hills Spa está situado no novo complexo Roppongi em Tóquio, no Japão, o qual inclui um novo Grand Hyatt (com 389 quartos e suites), cinemas multiplex, centro de arte, torre de escritórios, residências de luxo e lojas e restaurantes finos. Os membros do Roppongi Club usufruem de um retiro do bulício de Tóquio neste sofisticado spa de 1800 metros quadrados com a chancela da empresa britânica Conran & Partners. Concebido para funcionar como um escape da tensão, do stresse e da fatiga da vida citadina, o visitante do spa passa por uma série de níveis e limiares, que estimulam um estado de espírito calmo, sereno e fortalecido. Para acentuar a noção de viagem pelo spa, a equipa de arquitectos desenvolveu duas áreas distintas: uma zona «preparatória» – um reservado ambiente de purificação com o objectivo de induzir a calma – e uma zona «restauradora» – uma atmosfera mais vibrante que promove a estimulação renovada. Os cacifos, os chuveiros e os balneários na zona preparatória ajudam os clientes a descontrair, em preparação para o processo de retemperação que se seguirá. A zona «restauradora» do spa tem como objectivo aumentar a purificação, a estimulação, a meditação e o rejuvenescimento, estando dotada de banheiras de hidromassagem, banheiras de imersão, uma piscina e salas de tratamento. Os espaços com cores garridas, tais como as salas de tratamento, proporcionam um ambiente estimulante para as actividades que aí têm lugar.

TRATAMENTO ESPECIAL: MASSAGEM SHIATSU

Roppongi Hills Spa
6-12-3 Roppongi
Minato-ku 106-0032
Tokyo, Japan

TEL: +81 3 64066550
FAX: +81 3 64066551
EMAIL: info@hillsspa.com
WEBSITE: www.hillsspa.com

Mandara Spa at The Datai

El nombre de Mandara procede de una antigua leyenda sánscrita que narra la búsqueda por parte de los dioses del elixir de la inmortalidad y la eterna juventud. El camino para alcanzar ambas bien podría comenzar con una visita a Langkawi, en el Datai, uno de los 60 balnearios propiedad de la cadena Mandara. Situado en el corazón de una centenaria jungla tropical, a orillas de un indolente riachuelo, el Datai es un conglomerado de 40 villas, 18 *suites* y 54 habitaciones con terraza, con espectaculares vistas de su entorno, tanto de la selva como del mar de Andamán. Varios senderos atraviesan la jungla para conducir a las cuatro villas que albergan el Mandara Spa. Cada una de estas espaciosas construcciones dispone de ducha de vapor, bañera gigante, ducha exterior y una terraza privada. El tratamiento más característico es el masaje Mandara. Aplicado simultáneamente por dos terapeutas, combina cinco técnicas diferentes de masaje: *shiatsu*, tailandés, *iomi iomi* hawaiano, sueco y balinés. El tratamiento Goce Definitivo del balneario comienza con un pediluvio y un masaje para el que se emplea la sal del cercano mar de Andamán, piedra pómez natural y acondicionador de menta. Tras una hora de exfoliación corporal con productos naturales (puede escogerse entre coco de Langkawi, café de Bali, *boreh* balinés, *lulur* de java o hierbas tropicales), un baño de vapor de hierbas de la selva limpia los exfoliantes. Frente al balneario se extiende una playa de arena blanca, una piscina y un pabellón de deportes acuáticos.

TRATAMIENTO CARACTERÍSTICO: MASAJE MANDARA

Il nome Mandara deriva da un'antica leggenda sanscrita che narra della ricerca dell'elisir dell'immortalità e dell'eterna giovinezza da parte degli dei. Un soggiorno al Mandara Spa at The Datai nell'isola di Langkawi, uno dei 60 alberghi con annesso centro benessere del gruppo Mandara, vi porterà molto vicino alla conquista di entrambe. Situato al centro di una secolare foresta pluviale tropicale, vicino all'ansa di un torrente, il complesso si compone di 40 ville, 18 suite e 54 camere tutte dotate di veranda con vista spettacolare sul panorama circostante, dalla giungla allo scintillante Mar di Andaman. Un viale conduce, attraverso la giungla, alle quattro ville private che compongono il complesso del Mandara Spa at the Datai. Ogni villa, una struttura totalmente indipendente e aperta, è dotata di doccia di vapore, un'enorme vasca da bagno, doccia da giardino e balcone privato. Il trattamento esclusivo è il Mandara Massage, un mix di cinque diversi tipi di massaggi – shiatsu, tailandese, lomi lomi hawaiano, svedese e balinese, eseguiti da due terapisti contemporaneamente. Il trattamento Ultimate Indulgence comincia con un bagno e massaggio plantare a base di sali del Mar di Andaman, pomice naturale e un rinfrescante alla menta. Dopo un trattamento esfoliante tutto naturale al cocco di Langkawi, caffè balinese, boreh balinese, lulur giavanese o alle erbe, il vapore alle erbe provenienti dalla foresta pluviale rimuove ogni traccia di prodotto. Appena fuori dal centro benessere si trovano la spiaggia di sabbia bianchissima, la piscina e il padiglione per gli sport acquatici.

TRATTAMENTO ESCLUSIVO: MANDARA MASSAGE

O nome Mandara provém de uma antiga lenda do sânscrito que descrevia a demanda dos deuses para encontrar o elixir da juventude eterna. Uma visita ao Langkawi no The Datai, uma das 60 propriedades de spa com a marca Mandara, irá por certo ajudar a alcançar estes dois mitos. Situado no coração de uma floresta tropical secular, junto a um ribeiro serpenteante, The Datai é composto por um conjunto disperso de 40 vivendas, 18 suites e 54 quartos, todos eles com vistas espectaculares para a paisagem circundante, quer seja a selva ou o resplandecente Mar de Andaman. Trilhos abertos na selva conduzem às quatro vivendas privativas onde está instalado o Mandara Spa no The Datai. Cada um dos edifícios tem uma cabina de vapor, banheira de dimensões generosas, chuveiro no jardim e varanda privativa. Mandara Massage é o nome de um tratamento especial aplicado em simultâneo por dois terapeutas, combinando cinco estilos de massagem diferentes: shiatsu, tailandesa, lomi lomi havaiana, sueca e balinesa. O tratamento Ultimate Indulgence do spa começa com a lavagem dos pés e uma massagem com sal do Mar de Andaman, pedra-pomes natural e creme hidratante à base de hortelã-pimenta. Após uma esfoliação corporal em que apenas são utilizados produtos naturais, à escolha entre Langkawi Coconut, Balinese Coffee, Balinese Boreh, Javanese Lulur ou Herbal Rainforest Scrub, o vapor aromatizado com plantas da floresta tropical remove os esfoliantes. Mesmo às portas do spa, há uma praia de areia branca, uma piscina e um pavilhão de desportos aquáticos.

TRATAMENTO ESPECIAL: MASSAGEM MANDARA

Mandara Spa at The Datai
Pulau Langkawi
Kedah Darul Aman
Langkawi, Malaysia

TEL +60 4 9592500
FAX +60 4 9592600
EMAIL infoasia@mandaraspa.com
WEBSITE www.mandaraspa.com

Pearl Farm Beach Resort

El Pearl Farm Beach Resort se alza al abrigo de una pequeña cala de la isla de Samal, en el golfo de Davao (Filipinas). El nombre rinde tributo a la primigenia función del actual complejo: una granja de perlas, en la que se cultivaban ostras rosas, blancas y doradas procedentes del mar de Sulú de las que se obtenían las cremosas gemas. En la actualidad, el centro acoge a un exigente público internacional rendido ante la belleza natural y la privacidad sin igual de Pearl Farm. Gracias a sus blancas playas de arena, la abundante vida marina y la frondosa y fragante flora, la isla constituye un santuario natural para el visitante. Inspiradas en los terrenos circundantes, cada habitación está diseñada con el ánimo de conservar la historia cultural de la isla. Tras cabañas tribales *samal*, sostenidas sobre el agua por pilotes, se alzan en las laderas casas *balay* con vistas a la playa y casas *mandaya* con extraordinarias vistas. En el Ylang Ylang Soothing Lounge, los huéspedes pueden disfrutar de tratamientos de balneario al aire libre, al son de las palmeras mecidas por el viento y la música del océano. El masaje Asmara Royal, un tratamiento de dos horas característico del establecimiento, se acompaña de un menú de aceites esenciales, entre los que se encuentra el *ylang ylang*, extraído de una flor autóctona de la región. Su aroma exótico y embriagador es garantía de relajación inmediata.

TRATAMIENTO CARACTERÍSTICO: MASAJE ASMARA ROYAL

Il Pearl Farm Beach Resort si annida in una piccola baia isolata dell'isola di Samal, nel Golfo di Davao, nelle Filippine. Il suo nome rende omaggio al passato del resort, che in origine era una coltivazione di perle in cui si allevavano ostriche rosa, bianche e dorate del Mare di Sulu per estrarne le preziose gemme traslucide. Oggi, il resort ospita raffinati conoscitori internazionali attirati dalla bellezza naturale e dall'impareggiabile privacy della Pearl Farm. Benedetta da spiagge di sabbia candida, da un'abbondante vita marina, da una vegetazione lussureggiante e da una flora intensamente profumata, l'isola crea una riserva naturale intorno ai suoi ospiti. Anche le camere si ispirano al paesaggio circostante, e sono progettate per sottolineare e preservare la tradizione culturale dell'isola. Capanne tribali tipiche di Samal costruite su palafitte affondate nell'acqua cedono il passo ad abitazioni montane Balay con verande affacciate sulla spiaggia e a case Mandaya da cui si gode una vista mozzafiato. Alla Ylang Ylang Soothing Lounge, gli ospiti possono sperimentare trattamenti benessere all'aperto, tra il dolce fruscio delle foglie di palma e con la musica dell'oceano in sottofondo. L'Asmara Royal Massage – un trattamento di due ore che rappresenta la specialità del centro – offre la possibilità di scegliere tra una gamma di oli essenziali tra cui quello di ylang ylang, il fiore tipico di questa regione, il cui aroma intenso ed esotico ha un immediato effetto calmante e rilassante.

SPECIALITÀ: ASMARA ROYAL MASSAGE

No golfo de Davao, nas Filipinas, uma enseada discreta da ilha de Samal esconde o Pearl Farm Beach Resort. O nome é uma homenagem à cultura de pérolas, a actividade para que este espaço foi originalmente pensado. Outrora, aqui abundavam ostras cor-de-rosa, brancas e douradas do mar de Sulu. Hoje, o *resort* é um local para conhecedores que vêm à procura da beleza natural e da privacidade ímpar proporcionada pelo Pearl Farm. Abençoada com praias de areia branca, abundância de vida marinha, vegetação luxuriante e uma flora plena de aromas, a ilha é um santuário natural para os seus hóspedes. Inspirados na terra que os envolve, os quartos foram concebidos para preservar a história cultural da ilha. As cabanas tribais Samal sustentadas por estacas sobre a água abrem caminho para as casas Balay no topo da colina, cujas varandas têm vista para a praia, e para as casas Mandaya, que desfrutam de vistas panorâmicas. No Ylang Ylang Soothing Lounge, os hóspedes podem entregar-se aos tratamentos de spa no exterior, à sombra de coqueiros suavemente ondulantes e ao som da melodia do oceano. A Massagem Real Asmara, o tratamento especial do spa com duração de duas horas, é aplicada com óleos essenciais à nossa escolha, incluindo o ylang ylang extraído de uma planta indígena desta região, cujo aroma exótico e intenso tem propriedades apaziguadoras e relaxantes.

TRATAMENTO ESPECIAL: MASSAGEM REAL ASMARA

Pearl Farm Beach Resort
Kaputian, Island Garden City of Samal
Davao Del Norte,
Philippines

TEL: +63 2 7501894
FAX: +63 2 7501898
EMAIL: pearlfarm@fuegohotels.com
WEBSITE: www.fuegohotels.com

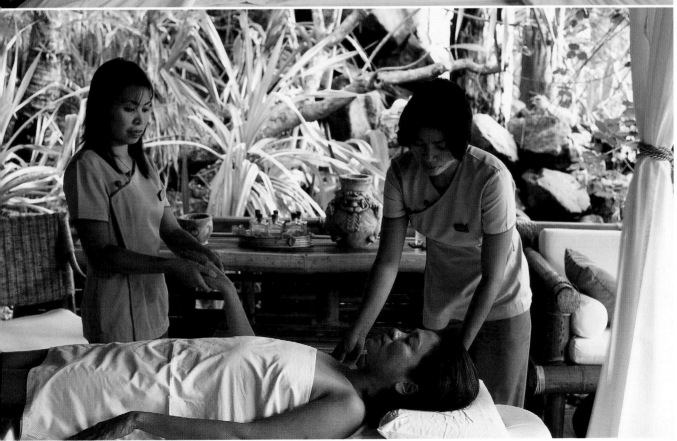

The Island Spa
at the Four Seasons Resort Maldives

El Four Seasons Resort Maldives se alza sobre una isla privada del Océano Índico, sobre un atolón de coral rebosante de vida marina, para ser más exactos, y constituye el no va más del lujo llevado a sus últimas consecuencias. Una travesía de media hora en lancha conduce a los huéspedes a la isla de Kuda Haraa, en la que les esperan 106 cabañas y villas construidas en la misma playa o dentro de la laguna, sostenidas por pilotes. El balneario es asimismo único: el Island Spa ocupa otra isla, a la que se accede en *dhoni* (los tradicionales botes de madera de las Maldivas). Al borde de la playa, sobre el océano, se alzan los techos de paja de cinco casetas de tratamiento para parejas. En cada caseta, tras las puertas correderas de madera puede uno disfrutar de brisas fragantes y vistas del mar; las portillas abiertas bajo las camillas de masaje permiten también contemplar el batir de las olas cómodamente tumbados. Las bañeras dobles, las duchas exteriores y las lámparas de aceites aromatizados no hacen sino incrementar el romanticismo del lugar. A disposición del cliente queda un completo abanico de tratamientos, que van desde las terapias ayurvédicas de la India hasta tradicionales elixires corporales de Indonesia. En el ritual del monzón de las Maldivas se emplea sándalo molido para exfoliar la piel, a lo que sigue un aclarado con agua de rosas y una loción hidratante de incienso para completar dos horas de auténtico ensueño. La ecléctica decoración, consistente en enjarciados náuticos, livianas cortinas y diversos elementos de tan dispar procedencia como India y Marruecos refuerzan el exotismo del balneario.

TRATAMIENTO CARACTERÍSTICO: RITUAL DEL MONZÓN DE LAS MALDIVAS

Su un'isola privata sperduta nell'Oceano Indiano, in un atollo corallino, il Four Seasons Resort Maldives è il non plus ultra in tema di lusso a 360°. Una corsa di mezz'ora con imbarcazione veloce conduce gli ospiti nell'isoletta di Kuda Haraa, dove sono disponibili 106 bungalow e ville costruiti sulla spiaggia oppure su palafitta, affacciati direttamente sulle acque turchesi della laguna. L'esperienza del centro benessere Island Spa è unica: esso sorge su un'isoletta poco distante, che si raggiunge in poco tempo con il dhoni, la tipica imbarcazione maldiviana. Cinque padiglioni dedicati ai trattamenti e costruiti per coppie sorgono in riva ad una spiaggia immacolata, proprio sopra le acque cristalline dell'oceano. In ogni padiglione, porte scorrevoli di legno si spalancano per lasciare entrare le piacevoli brezze marine, permettendo anche di godere della vista impareggiabile della laguna, e addirittura dei boccaporti ubicati proprio sotto il lettino consentono agli ospiti di ammirare la vita marina mentre si rilassano durante un trattamento. Vasche per due persone, docce esterne e bruciatori ad olio aromatico contribuiscono a creare un'atmosfera ancora più romantica. I trattamenti vanno dalla tradizione ayurvedica indiana ai tradizionali elisir per il corpo dell'Indonesia. Il rituale maldiviano per propiziare i monsoni usa sandalo macinato per il trattamento esfoliante, acqua di rose per il risciacquo e lozione per il corpo all'incenso per idratare in un'esperienza inebriante che dura due ore. Cime e nodi nautici, tende trasparenti e elementi decorativi dell'India e del Marocco conferiscono all'ambiente un sapore esotico.

TRATTAMENTO ESCLUSIVO: RITUALE MALDIVIANO PROPIZIATORIO DEI MONSONI

Situado numa ilha privada no Oceano Índico, num atol de coral onde abunda uma radiante vida marinha, o Four Seasons Resort Maldives é o exemplo acabado do luxo levado ao extremo. Uma viagem de meia hora numa lancha rápida leva os hóspedes para a ilha de Kuda Haraa, onde os aguardam 106 *bungalows* e vivendas com telhados de colmo na praia ou sobre a lagoa, elevados em estacas. A experiência do spa é única: o Island Spa está situado na sua própria ilha, acessível por *dhoni* (o tradicional barco de madeira das Maldivas). À beira da praia, erguendo-se acima do oceano, há cinco pavilhões de tratamentos com telhados de colmo para casais. Em cada pavilhão, portas de correr em madeira abrem-se para deixar entrar brisas perfumadas e proporcionar vistas panorâmicas do mar, ao passo que as vigias no chão permitem que os hóspedes contemplem a água enquanto têm o rosto apoiado no suporte da cama de massagem. As banheiras de dimensões generosas para duas pessoas, os chuveiros exteriores no jardim e as lamparinas de óleos aromáticos dão um toque romântico adicional. A completa gama de tratamentos vai desde as tradições ayurvédicas da Índia aos elixires para o corpo tradicionais da Indonésia. O nativo Maldivian Monsoon Ritual utiliza sândalo moído para esfoliar, água de rosas para lavar e loção corporal de olíbano para hidratar, numa deliciosa experiência que dura 120 minutos. A cordoagem náutica, as cortinas simples e elementos pictóricos da Índia e de Marrocos imbuem o spa de um ambiente exótico.

TRATAMENTO ESPECIAL: MALDIVIAN MONSOON RITUAL

The Island Spa
at the Four Seasons Resort Maldives
North Malé Atoll
Republic of Maldives

TEL: +960 444888
FAX: +960 441188
EMAIL: world.reservations@fourseasons.com
WEBSITE: www.fourseasons.com

The Lalu

Situado en el centro del Sun Moon, el mayor lago de agua dulce de Taiwan, y rodeado por completo de montañas verde jade, el suntuoso Lalu es un lugar de adoración ancestral, ocupado de antiguo por la tribu de los shao. The Lalu ofrece 95 *suites* y habitaciones espectaculares y una enorme serenidad para gozar de un balneario de primerísima clase. El balneario ofrece tratamientos restauradores occidentales y orientales en los que emplea únicamente los mejores productos naturales, entre los que se cuentan las tratamientos corporales con cúrcuma y té verde, pomelo y rosas o canela y mandarina. Es posible disfrutar de masajes tradicionales asiáticos y occidentales, así como hacer uso de la sala de vapor y de la sauna, ambas con espectaculares vistas al lago. El balneario cuenta también con baños de burbujas calientes, templados y fríos, salas de vapores herbales, saunas suecas y baños japoneses; desde todos ellos es posible contemplar las tranquilas aguas del lago. Si no están en el balneario recibiendo cuidados, los huéspedes pueden visitar los templos cercanos, las aldeas tribales y los jardines de esculturas de piedra. Es posible, recomendable incluso, organizar actividades culturales adicionales. Nota para los amantes del buen té: el cercano monte Mao-Lan es uno de los principales productores mundiales de té Assam. No pueden perderse la visita a la fábrica de té negro, construida siguiendo el estilo ceilandés de la década de 1930 y dedicada a la investigación y mejora del té. Está rodeada de hectáreas y más hectáreas de plantas de té, e inmersa en el pintoresco paisaje de las montañas de Taiwan.

TRATAMIENTO CARACTERÍSTICO: JARI MENARI ('DEDOS DANZANTES')

Situato al centro del Sun Moon Lake, il lago più grande dell'isola di Taiwan, e completamente circondato da montagne di colore verde giada, il lussureggiante Lalu è un luogo che infonde il profondo senso di pace di una venerazione ancestrale risalente alla tribù aborigena degli Shao. The Lalu offre 95 favolose suite e camere, e l'ambiente sereno e distensivo di un soggiorno termale in un complesso di prima classe. Il centro benessere offre trattamenti ristoratori ispirati alle tecniche orientali e occidentali usando solo i migliori prodotti curativi naturali, tra cui trattamenti esfolianti rigeneranti per il corpo alla curcuma e tè verde, pompelmo e rosa o cannella e mandarino. Sono disponibili, inoltre, massaggi tradizionali asiatici e occidentali, bagni di vapore e sauna che si possono effettuare in cabine da cui si gode un'incantevole vista sul lago. Il centro benessere dispone, inoltre, di idromassaggio caldo, tiepido e freddo, sale di vapore alle erbe, sauna svedese secca e strutture per eseguire bagni giapponesi, anch'esse affacciate sul lago. Quando non si fanno coccolare dal personale del centro benessere, gli ospiti possono visitare i templi vicini, i villaggi tribali e i giardini con sculture di pietra. Per gli amanti del tè da non perdere un'escursione al vicino Monte Mao-Lan, una delle regioni ai primi posti al mondo per la produzione di tè Assam. Un'altra escursione molto interessante è la visita alla fabbrica del tè nero, costruita negli anni trenta nel tipico stile di Sri Lanka. Essa è circondata da ettari di piantagioni di tè con scorci molto pittoreschi delle montagne dell'isola di Taiwan.

TRATTAMENTO ESCLUSIVO: JARI MENARI («DITA DANZANTI»)

Localizado no centro do Lago Sol Lua, o maior lago de água doce de Taiwan, e integralmente rodeado por montanhas verde-jade, o magnífico The Lalu é um lugar relaxante de veneração ancestral, outrora ocupado pela tribo indígena Shao. The Lalu tem 95 excelentes suites e quartos e um ambiente sereno, para proporcionar um spa ao nível dos melhores do mundo. O Lalu Spa and Rejuvenation Center concentra-se em tratamentos restauradores orientais e ocidentais que utilizam apenas os melhores produtos naturais, incluindo os revitalizantes cremes de esfoliação à base de açafrão e chá verde, toranja e rosa ou canela e tangerina. A oferta também contempla massagens asiáticas e ocidentais, assim como cabinas de sauna e banho turco que gozam de fabulosas vistas para o lago. O spa conta ainda com banheiras de hidromassagem de água quente, morna e gelada, banho turco aromatizado com plantas medicinais, sauna sueca e banheiras japonesas com vista para o lago resplandecente. Quando não estão a receber os mimos do spa, os visitantes podem ir ver os templos que existem nas proximidades, aldeias tribais e jardins com esculturas de pedra, ou entreter-se com as outras actividades culturais disponíveis. Os amantes do chá não podem perder uma ida ao monte Mao-Lan, situado nas redondezas, que é um dos maiores fornecedores mundiais de chá Assam. É obrigatória uma visita à Fábrica do Chá Preto, construída ao estilo do Sri Lanka dos anos 30 e dedicada à investigação e ao melhoramento do chá. Está rodeada por hectares de plantações de chá com as vistas para as montanhas de Taiwan.

TRATAMENTO ESPECIAL: JARI MENARI («DEDOS DANÇANTES»)

The Lalu
142 Jungshing Road
Yuchr Shiang Nantao
Taipei, Taiwan 555 R.O.C

TEL: +886 49 2855311
FAX: +886 49 2855312
EMAIL: lalu@ghmhotels.com
WEBSITE: www.ghmhotels.com

Shambhala
at The Metropolitan, Bangkok

A pocos pasos del ajetreo de la zona de negocios del centro, los huéspedes del Metropolitan Bangkok se sienten entre algodones desde el momento mismo en que cruzan el umbral. Este exquisito hotel cuenta con *chefs* de primerísima línea, elegantes salas de cóctel, una decoración moderna y minimalista, y el famosísimo balneario COMO Shambhala. De aire asiático y distinguido, el Shambhala de Bangkok ofrece servicios orientales y ayurvédicos creados en su establecimiento gemelo de Parrot Cay, en las islas Turks y Caicos. Siguiendo el credo de escapismo estilizado que reina en el Shambhala, este balneario urbano ofrece masajes, tratamientos corporales y faciales que emplean un abanico de productos naturales, aceites y friegas de sales específicos para cada zona del cuerpo. El balneario es el mayor oasis en la extensa metrópoli de Bangkok, y cuenta con diez áreas de tratamientos, una piscina exterior, hidromasaje, salas de vapor, un estudio de yoga y un completo gimnasio. El característico masaje Shambhala emplea un aceite calmante de fabricación propia, en cuya composición se encuentran la mejorana, la bergamota, el geranio y la lavanda. El masaje se aplica en largas pasadas a presión media y está pensado para eliminar el estrés y potenciar la relajación. Una vez convenientemente refrescados, los huéspedes pueden cerrar el día (o días) de lujo en el balneario con una copita entre la gente guapa del Met Bar.

TRATAMIENTO CARACTERÍSTICO: MASAJE SHAMBHALA

Anche se ci si trova a soli due passi dall'attività del centralissimo quartiere degli affari, al Metropolitan Bangkok ci si sente coccolati dal momento stesso in cui si varca la soglia dell'hotel. Questo straordinario hotel-boutique dispone di chef pluripremiati, di eleganti *cocktail lounge*, di un moderno arredamento minimalista e della famosa COMO Shambhala Spa. Elegante e ispirato ad atmosfere asiatiche, lo Shambhala di Bangkok offre ai suoi ospiti trattamenti orientali ed ayurvedici messi a punto dal suo centro termale gemello di Parrot Cay, nelle Isole Turche e Caicos. In linea con una filosofia di raffinato rifugio dalla quotidianità, questo centro termale in piena città propone massaggi e trattamenti per il corpo e per il viso che si avvalgono dell'omonima linea di prodotti naturali, oli ed esfolianti a base di sale. Come una vasta oasi nel cuore della dilagante metropoli di Bangkok, questo centro termale ha dieci aree trattamento, una piscina aperta, una piscina con idromassaggio, bagni di vapore, un centro yoga e una palestra completamente attrezzata. La sua specialità, lo Shambhala Massage, basa sul Calm Oil firmato Shambhala, un cocktail di maggiorana, bergamotto, geranio e lavanda. Il massaggio, eseguito con movimenti ampi e pressione intermedia, è pensato per eliminare la tensione e indurre al relax. Così rilassati, gli ospiti possono concludere la loro giornata (o giornate) di lussuosi trattamenti termali con un ultimo drink al prestigioso Met Bar, ritrovo di tutti coloro che desiderano vedere ed essere visti.

TRATTAMENTO ESCLUSIVO: SHAMBHALA MASSAGE

Mesmo ao lado do corrupio que caracteriza a baixa da cidade, os hóspedes do Metropolitan Bangkok são agraciados com um tratamento inexcedível assim que cruzam a porta da entrada. Este requintado hotel de charme conta com chefes de cozinha consagrados, elegantes salões para cocktails, decoração minimalista contemporânea e o famoso COMO Shambhala Spa. Distinto e de inspiração asiática, o Shambhala em Banguecoque oferece serviços orientais e ayurvédicos desenvolvidos originalmente no spa da mesma cadeia em Parrot Cay, no arquipélago de Turcos e Caicos. Sempre fiel ao ideal do Shambhala de proporcionar momentos de evasão em grande estilo, este retiro urbano tem uma oferta que contempla massagens, tratamentos corporais e de rosto nos quais é utilizada a gama epónima de produtos naturais, óleos e esfoliantes à base de sais. Maior oásis da vasta metrópole de Banguecoque, este spa orgulha-se das suas dez zonas de tratamento, piscina interior, piscina de hidroterapia, banho turco, estúdio de ioga e ginásio totalmente equipado. O tratamento especial, a Massagem Shambhala, utiliza o Shambhala Calm Oil, uma mistura de manjerona, bergamota, gerânio e alfazema. Caracterizada pelos movimentos longos e pressão média, esta massagem promove a libertação de stresse e a descontracção. Depois de devidamente revigorados, os hóspedes podem acabar o dia (ou vários dias) de luxuoso spa vestidos a rigor no badalado Met Bar.

TRATAMENTO ESPECIAL: MASSAGEM SHAMBHALA

Shambhala at The Metropolitan Bangkok
27 South Sathorn Road
Tungmahamek, Sathorn
Bangkok 10120, Thailand

TEL: +66 2 6253333
FAX: +66 2 6253300
EMAIL: res.bkk@metropolitan.como.bz
WEBSITE: www.metropolitan.como.bz

The Oriental Spa

El Oriental Spa es un retiro geográfico y espiritual del ajetreo urbano; para llegar a él, basta una corta aunque pintoresca travesía por el río Chao Phya desde el Oriental Hotel de Bangkok, el cual cuenta con 358 habitaciones y 35 *suites*. Este centenario y tradicional edificio de teca, repleto de las orquídeas autóctonas y aromatizado por los efluvios de los limoncillos, ha sido restaurado con materiales indígenas: suelos de teca, antigüedades tailandesas, tenue iluminación, un largo estanque de lirios... elementos todos que evocan los días en los que escritores de la talla de Joseph Conrad, Graham Greene y Somerset Maugham eran huéspedes habituales del hotel. En el balneario, el ambiente propicio a la meditación se extiende hasta las lujosas salas de tratamiento (equipadas con duchas y salas de vapor privadas), en las que nada se oye por encima del roce de los uniformes de seda de los terapeutas. Muchos de los tratamientos toman su inspiración de antiguas técnicas tailandesas, e incorporan productos vegetales puros cultivados para el balneario en las colinas de Chiang Mai. Por ejemplo, con la característica envoltura de hierbas orientales se cuida la piel con una mezcla exfoliante de miel, menta y hojas, flores y semillas de lavanda. Después, cubierta con paños calientes, la mascarilla corporal hidratante de fango blanco tailandés, alcanfor, cúrcuma, menta y tamarindo mezclados con aceite de sésamo y leche fresca revitaliza la piel al tiempo que ejerce un delicioso efecto rejuvenecedor sobre el espíritu.

TRATAMIENTO CARACTERÍSTICO: ENVOLTURA DE HIERBAS ORIENTALES

Rifugio geografico e spirituale dal caos della città moderna, il complesso dell'Oriental Spa si raggiunge dopo un breve, caratteristico giro in barca lungo il fiume Chao Phya dall'Oriental Hotel Bangkok, che dispone di 358 camere e 35 suite. Il secolare edificio in legno di tek costruito secondo lo stile tradizionale, pieno di orchidee locali e pervaso della delicata essenza della citronella, è stato ristrutturato con elementi indigeni – pavimenti di tek, antiquariato tailandese, luci soffuse, uno stagno longitudinale ricoperto di ninfee – che richiamano alla mente l'epoca in cui scrittori del calibro di Joseph Conrad, Graham Greene e Somerset Maugham erano ospiti abituali dell'albergo. Nel centro benessere, l'aria della calma meditativa s'infiltra nelle lussuose cabine destinate ai trattamenti (dotate di sala di vapore privata e doccia), in cui il rumore più acuto è il fruscio dei camici di seta dei terapisti. Molti dei trattamenti disponibili riprendono le antiche tecniche tailandesi e abbinano prodotti vegetali appositamente coltivati per il centro benessere nelle colline settentrionali di Chiang Mai. Ad esempio, la pelle è preparata per l'esclusivo bendaggio Oriental Herbal Wrap con un trattamento esfoliante preliminare a base di miele e foglie, fiori e semi di menta e lavanda. Avvolta in un impacco termale, la maschera idratante per il corpo a base di fango tailandese, canfora, menta, curcuma e tamarindo, mescolati con olio di sesamo e latte fresco ripristina l'equilibrio della pelle, esercitando al tempo stesso un effetto deliziosamente rinvigorente sullo spirito.

TRATTAMENTO ESCLUSIVO: BENDAGGIO ORIENTAL HERBAL WRAP

Retiro do bulício da cidade moderna, tanto em termos geográficos como espirituais, The Oriental Spa está a uma pequena e pitoresca travessia de barco do rio Chao Phya a partir do Oriental Hotel Bangkok, com 358 quartos e 35 suites. A secular casa tradicional em teca, cheia de orquídeas autóctones e perfumada com o delicado aroma de erva-príncipe, foi restaurada com elementos indígenas – pavimentos em teca, antiguidades tailandesas, iluminação suave e filtrada, um grande lago com nenúfares – evocativos de uma época em que escritores como Joseph Conrad, Graham Greene e Somerset Maugham eram hóspedes regulares do hotel. No spa, o ar da calma meditativa estende-se às luxuosas suites de tratamentos (equipadas com banho turco e chuveiro privativos) onde o som mais alto que se ouve é o roçar dos uniformes de seda dos terapeutas. Muitos dos tratamentos baseiam-se em antigas técnicas tailandesas e incorporam plantas e extractos naturais cultivados para o spa nas montanhas do norte de Chiang Mai. Por exemplo, a pele é preparada para o tratamento especial Oriental Herbal Wrap com um creme esfoliante à base de mel com folhas de hortelã e alfazema, flores e sementes. Selada sob um cobertor térmico, a hidratante máscara corporal de argila branca tailandesa, cânfora, hortelã, açafrão e tamarindo misturados com óleo de sésamo e leite fresco revitaliza a pele, ao mesmo tempo que exerce um efeito deliciosamente rejuvenescedor no espírito.

TRATAMENTO ESPECIAL: ORIENTAL HERBAL WRAP

The Oriental Spa

The Oriental, Bangkok

48 Oriental Avenue

Bangkok 10500, Thailand

TEL: +66 2 6599000

FAX: +66 2 6599000

EMAIL: orbkk-reservations@mohg.com

WEBSITE: www.mandarinoriental.com

Chiva-Som
International Health Resort

El exclusivo enclave playero de Hua Hin acoge el complejo de Chiva-Som ('refugio vital') en el que los tratamientos integrales y los programas médicos para el bienestar se ven acompañados de la tradicional hospitalidad tailandesa. De diseño inspirado en una aldea tradicional, los 57 pabellones y *suites* están rodeados de jardines tropicales, cascadas y lagos. La proporción de cuatro a uno entre personal y huéspedes garantiza un servicio elegante y reposado. El moderno balneario consta de más de 40 salas de tratamiento, rodeadas de patios ajardinados y salones con sillas de mimbre y jarras de refresco de limoncillo. Hay salas especiales con colchones planos para la práctica del masaje tailandés, y seis salas de hidroterapia con bañeras de hidromasaje y un tanque de flotación. Es también posible practicar *tai chi* y *kickboxing* tailandés en un pabellón abierto con vistas al mar, así como dar enérgicos paseos por la playa o los templos de los alrededores. El centro médico concierta una consulta exclusiva con cada huésped a su llegada; además de medicina occidental y tradicional china, ofrece programas alternativos como la equilibropatía (que puede emplearse para combatir la artritis y las migrañas) y la iridología (estudio de los ojos). El huerto genera buena parte de los ingredientes empleados en la suculenta cocina del balneario, que incluye frutos exóticos trinchados según la tradición tailandesa.

TRATAMIENTO CARACTERÍSTICO: MASAJE TRADICIONAL TAILANDÉS

L'esclusivo complesso di Hua Hin è la sede del Chiva-Som («rifugio della vita»), in cui i trattamenti olistici e i programmi medici per il benessere si fondono con l'ospitalità squisitamente tailandese. Sullo stile di un villaggio tradizionale, i 57 padiglioni e suite sono circondati da giardini tropicali, cascate e laghetti. Un rapporto personale-ospite di quasi 4:1 garantisce un servizio efficiente e accurato all'insegna della cortesia. Il moderno centro benessere comprende oltre 40 sale per i trattamenti, circondate da cortili disegnati da architetti paesaggisti e sale con sdraio di rattan e brocche piene di acqua aromatizzata alla citronella. Sono disponibili sale speciali con materassi piatti per massaggi tailandesi e sei cabine per idroterapia con idromassaggio francese e vasca per galleggiamento. Le attività sportive, che si possono praticare in un padiglione all'aperto che affaccia sul mare, comprendono Tai Chi e kick boxing tailandese, oltre a passeggiate lungo la spiaggia o verso i templi limitrofi. Il centro medico prenota appuntamenti privati per consigli in tema di salute e benessere quando gli ospiti arrivano al centro; insieme alle medicine occidentali e tradizionali cinesi sono disponibili programmi di medicine alternative quali equilibrioterapia (che serve per trattare disturbi che vanno dall'artrite all'emicrania) e iridologia (lo studio degli occhi). Un giardino biologico fornisce gran parte degli ingredienti per il ristorante del centro, dove si possono gustare leccornie a base di frutti esotici artisticamente svuotati e intagliati secondo la tradizione tailandese.

TRATTAMENTO ESCLUSIVO: TRADIZIONALE MASSAGGIO TAILANDESE

A exclusiva estância balnear de Hua Hin serve de cenário ao Chiva-Som («abrigo da vida»), onde os tratamentos de spa holísticos e os programas de bem-estar medicinal se fundem com a inconfundível hospitalidade tailandesa. Inspirados numa aldeia tradicional, os 57 pavilhões e suites estão rodeados por jardins tropicais, quedas de água e lagos. O rácio de empregados por hóspede é de quase quatro para um, proporcionando um serviço gracioso e tranquilo. As modernas instalações do spa têm mais de 40 salas de tratamento, circundadas por pátios ajardinados e salões com *chaises longues* de rotim e jarros de infusão de erva-príncipe. Há salas especiais com colchões planos para massagem tailandesa e seis salas de hidroterapia dotadas de banheiras de hidromassagem francesas e um tanque de flutuação. As opções de *fitness* incluem Tai Chi e *kick boxing* tailandês praticados num pavilhão aberto com vista para o mar, e energéticas caminhadas na praia ou pelos templos das redondezas. O centro médico marca consultas privadas de medicina e bem-estar com cada hóspede à chegada. Além da medicina ocidental e da medicina tradicional chinesa, a oferta alarga-se a programas de medicina alternativa tais como equilibropatia (que pode ser utilizada no tratamento de maleitas que vão desde a artrite à enxaqueca) e iridologia (o estudo dos olhos). A horta e o pomar orgânicos fornecem muitos dos ingredientes para a deliciosa gastronomia do spa, com frutos exóticos artisticamente esculpidos segundo a tradição tailandesa.

TRATAMENTO ESPECIAL: MASSAGEM TAILANDESA TRADICIONAL

Chiva-Som International Health Resort
73/4 Petchkasem Road
Hua Hin, Prachuab Khirikhan 77110
Thailand

TEL: +66 32 536536
FAX: +66 32 511154
EMAIL: reservation@chivasom.com
WEBSITE: www.chivasom.com

Amanpuri

Imagine una espléndida casita tailandesa situada en el centro de una antigua plantación de cocoteros, rodeada de flores exóticas y bañada por el profundo azul de las aguas del mar de Andamán. No es un sueño: es el idílico Amanpuri de la isla de Phuket, en Tailandia. Amanpuri significa 'plácido lugar', y el complejo, con sus 40 pabellones y 3 casetas, hace justicia a su nombre. Su resguardada ubicación garantiza la privacidad, y el personal atiende gustoso a todas las necesidades de sus huéspedes. El balneario es un auténtico santuario: cada habitación dispone de vestuario, ducha de vapor, área de tratamientos y sala exterior para descansar. El balneario incluye también una sauna separada y una sala de vapor. Entre los servicios pueden encontrarse todo tipo de masajes y terapias integrales, tratamientos faciales, exfoliantes, envolturas corporales, baños y tratamientos de belleza, así como salas de meditación y sesiones de yoga. Para el tratamiento especial Aman Spa, los terapeutas investigan posibles desequilibrios en el paciente y le asignan un tratamiento personalizado. Aman hace buen uso de antiquísimos secretos de belleza tailandeses, como el tratamiento corporal Look Pra Kob, en el que se utilizan hierbas autóctonas especiales.

TRATAMIENTO CARACTERÍSTICO: TRATAMIENTO ESPECIAL AMAN SPA / TRATAMIENTO CORPORAL LOOK PRA KOB

Immaginate un lussuoso padiglione tailandese eretto su un'ex piantagione di cocco, abbellito da fiori esotici e circondato dalle acque incontaminate del Mar di Andaman. Non è un sogno, ma la realtà idilliaca del complesso dell'Amanpuri sull'isola di Phuket, in Tailandia. Amanpuri significa «luogo di pace» e l'albergo – che offre a suoi ospiti 40 padiglioni e 30 ville – lo è, di nome e di fatto. Isolato e riservato, il complesso garantisce la privacy dei propri ospiti, mentre il personale è disponibile a soddisfare ogni loro desiderio. Il centro benessere è un santuario: ogni sala privata ha il proprio spogliatoio, doccia di vapore, cabina per i trattamenti e area esterna (padiglione) per rilassarsi. Sono a disposizione degli ospiti anche una sauna e una stanza a vapore a parte. I servizi comprendono diversi tipi di massaggi e terapie olistiche, trattamenti esfolianti, bendaggi per il corpo, bagni e trattamenti estetici, con sale per meditazione e corsi di yoga. Con l'esclusivo Aman Spa Special i terapisti individuano gli squilibri individuali e consigliano i metodi specifici più indicati per il singolo caso. L'Aman sfrutta antichi segreti estetici tailandesi, come il Look Pra Kob Body Treatment, un trattamento corpo a base di speciali erbe locali.

TRATTAMENTO ESCLUSIVO: AMAN SPA SPECIAL / LOOK PRA KROB BODY TREATMENT

Imagine um luxuoso pavilhão tailandês situado numa antiga plantação de coqueiros adornado com flores e rodeado pelo azul intenso do Mar de Andaman. Esta visão não é um sonho, mas sim uma realidade idílica denominada Amanpuri, na ilha tailandesa de Phuket. Amanpuri significa «lugar calmo» e o *resort*, com 40 pavilhões e 30 vivendas, faz jus ao nome. O complexo intimista e recatado proporciona privacidade, e os empregados esforçam-se por satisfazer todas as necessidades dos hóspedes. O spa é um santuário: cada *sala* de spa privativa tem o seu próprio balneário, cabina de vapor, área de tratamentos e sala (pavilhão) exterior para relaxar. O spa conta ainda com uma sauna e um banho turco independentes. O menu de serviços inclui uma vasta gama de massagens e terapias holísticas, tratamentos faciais, esfoliações, máscaras corporais, banhos e tratamentos de beleza com *salas* para sessões de meditação e ioga. No tratamento especial Aman Spa Special, os terapeutas identificam os desequilíbrios de cada pessoa e utilizam métodos personalizados para cada cliente. O Aman tira partido de antigos segredos de beleza tailandeses tais como o Look Pra Kob Body Treatment, que utiliza plantas medicinais locais.

TRATAMENTO ESPECIAL: AMAN SPA SPECIAL / LOOK PRA KOB BODY TREATMENT

Amanpuri
Pansea Beach
Phuket 83000
Thailand

TEL: +66 76 324333
FAX: +66 76 324100
EMAIL: amanpuri@amanresorts.com
WEBSITE: www.amanresorts.com

Caribbean

Shambhala
at Parrot Cay

Robert De Niro, Donna Karan y Demi Moore se cuentan entre los célebres huéspedes que acostumbran a visitar el exclusivo hotel Parrot Cay, situado en una isla privada de 400 hectáreas del archipiélago de Turks y Caicos (a apenas una hora y media de avión de Miami). Las 60 habitaciones, casitas de playa y villas ofrecen un aspecto deslumbrante, con suelos de pino blanqueados, paredes encaladas y camas con dosel y mosquitera de gasa. Los tejados de terracota, los porches de barandillas blancas y los sillones forrados asimismo en blanco no hacen sino aumentar el atractivo estético del lugar. El balneario Shambhala, de inspiración asiática, es un completo refugio distribuido en cuatro estructuras con vistas a los marjales de la isla. El edificio principal cuenta con tres salas de masaje, cada una dotada de baño japonés y porche, así como con un solario abierto a una piscina de rebosadero continuo de 50 m²; los clientes disponen asimismo de tres pabellones privados especiales para parejas. En todos se ofrecen terapias tradicionales asiáticas (entre ellas un masaje tailandés de 90 minutos practicado por un antiguo monje budista) y nuevos tratamientos ayurvédicos como el *ahbyanga* (un masaje a cuatro manos) y el *ubtan* (una enérgica friega herbácea). Los productos empleados van desde la famosa gama del doctor Hauschka hasta Invigorate, una línea para el cuidado de la piel creada en exclusiva para Shambhala. Diariamente se imparten además clases de yoga y Pilates, y a menudo se ofrecen programas de tratamiento semanales, en los que colaboran especialistas en salud de varios países e instructores de yoga.
TRATAMIENTO CARACTERÍSTICO: AHBYANGA

Robert De Niro, Donna Karan e Demi Moore sono solo alcune delle celebrità che hanno soggiornato presso questo esclusivo albergo situato in un'isola privata di 400 ettari nell'arcipelago di Turks & Caicos (a un'ora e mezzo di volo da Miami). Nei 60 alloggi per gli ospiti le tonalità chiare predominano al punto che gli ambienti sono quasi abbaglianti: pavimenti di pino imbianchito, pareti tinteggiate di bianco e letti a baldacchino ammantati di voile bianco. Tetti di tegole di terracotta alterate dagli agenti atmosferici, verande cinte da balaustre bianche e divani ricoperti da fodere bianche danno il loro contributo al fascino estetico del posto. Il centro benessere Shambhala, che si ispira ad atmosfere orientali, è un'oasi olistica ospitata in quattro strutture che sovrastano la palude. L'edificio principale comprende tre sale per massaggi, ognuna con il proprio bagno giapponese e portico, e solarium che conduce alla piscina di 50 metri quadrati; sono disponibili anche tre padiglioni privati per coppie. La selezione di trattamenti include terapie tradizionali asiatiche – compreso un massaggio tailandese di 90 minuti eseguito da un ex monaco buddista – e nuovi trattamenti ayurvedici quali Ahbyanga (massaggio a quattro mani) e Ubtan (scrub esfoliante a base di erbe). I prodotti vanno dal popolare Dr. Hauschka a Invigorate, una linea per la pelle prodotta in esclusiva per Shambhala. Sono disponibili sessioni giornaliere gratuite di yoga e metodo Pilates; sono previsti inoltre pacchetti speciali formula weekend con visite da parte di specialisti del settore di fama internazionale e istruttori di yoga.
TRATTAMENTO ESCLUSIVO: AHBYANGA

Robert De Niro, Donna Karan e Demi Moore contam-se entre os hóspedes ilustres que já frequentaram o exclusivo Parrot Cay, situado numa ilha privada com pouco mais de 400 hectares, no arquipélago de Turcos e Caicos (a apenas uma hora e meia de avião de Miami). Os 60 quartos, casas de praia e vivendas encantam pela sua ofuscante alvura, com soalhos de pinho claro, paredes brancas e camas com dossel envoltas em *voile* branco. Os telhados de terracota desbotados pela acção do tempo, as varandas de corrimões brancos e os sofás cobertos com tecidos brancos tornam mais intenso o efeito estético. O spa Shambhala, de inspiração asiática, é um retiro holístico distribuído por quatro estruturas com vista para a região pantanosa da ilha. O edifício principal tem três salas de massagens, cada uma delas com a sua própria banheira japonesa e alpendre, além de um terraço para apanhar sol que dá acesso a uma piscina de 50 metros quadrados debruçada sobre o infinito. Também estão disponíveis três pavilhões privativos para casais. As terapias asiáticas tradicionais – incluindo uma massagem tailandesa executada por um antigo monge budista – são complementadas por novos tratamentos ayurvédicos tais como Ahbyanga (uma massagem a quatro mãos) e Ubtan (uma esfoliação à base de plantas). A gama de produtos vai desde o popular Dr. Hauschka ao Invigorate, uma linha de produtos para a pele desenvolvida exclusivamente para o Shambhala. Todos os dias há aulas gratuitas de ioga e Pilates, realizando-se retiros especiais de uma semana com visitas de terapeutas e instrutores de ioga internacionais.
TRATAMENTO ESPECIAL: AHBYANGA

Shambhala at Parrot Cay
P. O. Box 164, Providenciales
Turks & Caicos Islands
British West Indies

TEL: +1 649 9467788
FAX: +1 649 9467789
EMAIL: res@parrot.tc
WEBSITE: www.parrot-cay.com

La Samanna

La Samanna consta de 81 *suites* emplazadas en 22 hectáreas de la Baie Longue, una playa de arena blanca en forma de media luna, y evoca el tradicional espíritu francés con un toque caribeño. Los visitantes acuden a La Samanna por infinidad de razones, entre las que se cuenta la amplia bodega del hotel, su cocina, las espectaculares vistas de la playa y los lujosos tratamientos que ofrece el balneario. El Elysée Spa dispone de salas de tratamiento interiores y exteriores en un jardín tropical, estudios para la práctica de Pilates, y todo tipo de placenteros y renovadores tratamientos, el más solicitado de los cuales es el Thalatherm, desarrollado por el prestigioso Institut Phtytomer de Francia. Tras un día de embellecedoras actividades, los huéspedes pueden ejercitarse en el pabellón deportivo de La Samanna, o bien en sus pistas de tenis, o incluso en la piscina. Cada una de las *suites* está equipada con productos de baño, esponjas especiales y velas aromáticas L'Occitane, lo que permite al huésped continuar el programa de descanso del balneario en la intimidad de su habitación. Los tonos reposados de la decoración concuerdan con la voluntad expresa de La Samanna de combinar lujo y naturaleza. El diseño interior procura transmitir la impresión de que se encuentra uno de vacaciones en la mansión mediterránea de un amigo; un amigo extraordinariamente generoso, claro.

TRATAMIENTO CARACTERÍSTICO: THALATHERM

Le 81 suite che costituiscono il complesso de La Samanna si sviluppano su una superficie di 22 ettari lungo Baie Longue, una spiaggia di sabbia bianca a forma di mezzaluna. La prima impressione è quella del tradizionale spirito francese con anima caraibica. Gli ospiti scelgono di soggiornare in questo posto per i motivi più diversi: la ricca carta dei vini, la cucina gourmet, la vista spettacolare che si apre sulla spiaggia, i lussuosi trattamenti benessere. Il centro benessere Elysée Spa ha sale per i trattamenti con giardini tropicali interni/esterni, studi per il metodo Pilates e una gran varietà di trattamenti che fanno sentire gli ospiti coccolati come non lo sono mai stati nella loro vita. Il più richiesto è senz'altro il Thalatherm, ideato dal rinomato istituto francese Phytomer. Dopo una giornata dedicata alla cosmesi, si può scegliere di fare un po' di attività sportiva presso il centro fitness, sui campi da tennis professionali oppure in piscina. Ogni suite del complesso caraibico è fornita di una linea completa di prodotti da bagno L'Occitane con spugne e candele aromatiche, che permette agli ospiti di continuare i trattamenti personalizzati ricevuti al centro nella privacy delle rispettive camere. Ad accrescere la perfetta combinazione tra lusso e natura che caratterizza il complesso La Samanna sono le calde tonalità degli arredi. Il design degli interni è mirato a far sentire gli ospiti a proprio agio come se trascorressero una vacanza a casa di amici in una località mediterranea – amici molto generosi e ospitali.

TRATTAMENTO ESCLUSIVO: THALATHERM

O La Samanna, composto por 81 suites distribuídas por 22 hectares em Baie Longue, uma praia de areia branca em meia-lua, evoca o espírito tradicional francês com alma caribenha. São inúmeras as razões que trazem os hóspedes até aqui, entre elas a vasta adega, a cozinha requintada, as maravilhosas vistas para a praia e os luxuosos tratamentos de spa do La Samanna. O Elysée Spa tem salas de tratamentos interiores e ao ar livre, no jardim tropical, estúdios de Pilates e um sem-número de deliciosos tratamentos que convidam ao mais profundo dos ócios. De entre todos eles, o mais procurado é o Thalatherm, concebido pelo famoso Institut Phytomer em França. Depois de um dia de actividades tonificadoras da beleza, os hóspedes podem praticar desporto no pavilhão de *fitness*, nos campos de ténis profissionais ou na piscina do La Samanna. Todas as suites do *resort* caribenho estão devidamente apetrechadas com velas aromáticas, lufas e produtos de banho L'Occitane, permitindo que os hóspedes continuem os seus tratamentos de spa pessoais na privacidade dos seus quartos. A temática do luxo em convergência com a natureza do La Samanna é enfatizada pelos tons suaves usados na decoração. O design de interiores procura transmitir a sensação de umas férias passadas na vivenda mediterrânica de um amigo. Um daqueles amigos muito generosos...

TRATAMENTO ESPECIAL: THALATHERM

La Samanna
P.O. Box 4077
97064 St. Martin CEDEX
French West Indies

TEL: +590 590 876400
FAX: +590 590 878786
EMAIL: reservations@lasamanna.com
WEBSITE: www.lasamanna.com

Europe

Rogner-Bad Blumau Hotel & Spa

Agua, agua por doquier, brollando a borbotones de fuentes termales naturales, manando a presión de mangueras de masaje o simplemente captando los reflejos de los caprichosos edificios del Rogner-Bad Blumau Hotel, con sus 307 habitaciones, *suites* y apartamentos. El famoso artista y arquitecto austriaco Friedensreich Hundertwasser (cuyo nombre significa, muy apropiadamente, 'cien aguas') coronó sus fachadas de colores vivos con brillantes cúpulas bulbiformes y puntiagudas espiras. En el área del hotel, las habitaciones están decoradas en un estilo imaginativo similar, en el que los antipáticos ángulos ceden el paso a paredes ondulantes y un mobiliario curvo que retoma el tema acuático omnipresente en el balneario. Todo ello estimula la vista antes de acceder al Vulkania, un centro de relax que comprende una piscina termal, una isla de masajes, una piscina exterior de agua fría y una serie de habitaciones destinadas al reposo. Las saunas y baños de vapor abundan en el balneario, desde la Cueva de los Aromas hasta los más tradicionales baños romanos y turcos. Otras alternativas incluyen técnicas orientales de masaje, como *shiatsu* y *tuina*, así como la exclusiva Aventura del Agua, una terapia subacuática con la que se pretende relajar el agarrotamiento de los músculos y ganar flexibilidad. El abanico de tratamientos faciales y corporales de la Torre de Belleza y la selección de deportes acuáticos del Aqua Fitness cierran la gama de opciones disponibles en este centro de placer acuático.
TRATAMIENTO CARACTERÍSTICO: AVENTURA DEL AGUA

Acqua, acqua e ancora acqua – che sgorga da sorgenti naturali calde, che prorompe da getti massaggianti o che riflette le bizzarre costruzioni create per il complesso del Rogner-Bad Blumau Hotel, che dispone di 307 camere, suite e appartamenti. Il famoso architetto-artista austriaco Friedensreich Hundertwasser (il cui nome significa letteralmente «cento acque») ha scelto di far culminare gli edifici dalle facciate tinteggiate in colori brillanti con scintillanti cupole a cipolla e guglie acuminate. Nell'ala dell'edificio riservata all'albergo, le camere sono state allestite in modo altrettanto fantasioso, eliminando cigli e spigoli e preferendo linee più morbide con pareti e mobili stondati, che sembrano la continuazione del tema dell'acqua dominante nel centro benessere. È un appagamento per gli occhi prima di entrare nel Vulkania – la struttura dedicata al rilassamento che ospita una piscina d'acqua termale, una sala massaggi, una piscina esterna con acqua fredda e una serie di ambienti destinati al riposo. In tutto il centro benessere sono disponibili diversi tipi di sauna e bagni di vapore, dalla «caverna agli aromi» ai più tradizionali bagni romani e turchi. I trattamenti corpo comprendono massoterapia (disponibili diversi tipi di massaggi orientali quali shiatsu e Tuina) e l'esclusivo Water Enterprise, una terapia subacquea mirata a sciogliere i tessuti contratti e a favorire una maggiore elasticità. La gamma di trattamenti viso e corpo offerti dalla Beauty Tower e la selezione d'attività da svolgersi in acqua proposta dal programma di Aqua Fitness completano le offerte disponibili in questo tempio del piacere acquatico.
TRATTAMENTO ESCLUSIVO: WATER ENTERPRISE

Água, água por todos os lados... Borbulhando de nascentes naturais de água quente, jorrando dos jactos de hidromassagem ou apenas reflectindo as caprichosas construções criadas para o Rogner-Bad Blumau Hotel, que tem 307 quartos, suites e apartamentos. O aclamado artista/arquitecto austríaco Friedensreich Hundertwasser (cujo nome muito apropriadamente significa «cem águas») encimou as fachadas pintadas em cores vibrantes com brilhantes cúpulas raiadas e espirais pontiagudas. Na ala do hotel, os quartos estão decorados num estilo igualmente sofisticado, preterindo as superfícies angulosas em favor de paredes ondulantes e mobiliário curvilíneo que prolongam a temática da água do spa. Tudo é um estímulo para a vista antes de entrarmos no Vulkania, um complexo onde podemos relaxar na piscina de águas termais, na ilha de massagens, na piscina de água fria exterior e numa série de salas concebidas para o repouso. Em todo o spa há uma abundante oferta de instalações de sauna e banho a vapor, desde a «gruta dos aromas» aos mais tradicionais banhos romano e turco. As alternativas de tratamentos corporais incluem técnicas de massagem orientais como shiatsu e Tuina, assim como o Water Enterprise, uma terapia subaquática exclusiva deste spa, cujo objectivo é descontrair os tecidos musculares entorpecidos e promover uma maior flexibilidade. A gama de tratamentos faciais e corporais da Torre de Beleza e a selecção de desportos aquáticos do programa de Aqua Fitness completam a lista de deliciosas maneiras de passar o tempo neste templo do prazer aquático.
TRATAMENTO ESPECIAL: WATER ENTERPRISE

Rogner-Bad Blumau Hotel & Spa
8283 Bad Blumau 100
Austria

TEL: +43 3383 51009449
FAX: +43 3383 5100804
EMAIL: spa.blumau@rogner.com
WEBSITE: www.blumau.com

Les Sources de Caudalie

Les Sources de Caudalie, con sus 49 habitaciones y *suites*, arrojan nueva luz sobre la pasión francesa por la uva. El restaurante ofrece una selecta carta de vinos casi obligatoria en la región, mientras que los tratamientos abordan las extraordinarias aunque menos conocidas propiedades de la cosecha de Burdeos. La fachada del balneario, construido en uno de los más prestigiosos viñedos del país, recuerda los *chais* de los bodegueros locales, esas casitas de madera en las que el vino reposa para desarrollar su sabor. En el interior, flota en el aire el suave aroma de los residuos de uva en fermento que se emplean en los tratamientos. Las propiedades antienvejecimiento de la variedad Cabernet Sauvignon local hacen de Caudalie el mejor balneario *del lagar*. Se cree que los polifenoles presentes en la fruta no sólo reducen los radicales libres causantes del envejecimiento de la piel, sino que también mejoran la circulación sanguínea. Si a esto se añaden las aguas minerales que brollan del subsuelo, se obtiene un tratamiento excepcional: la vinoterapia. Los tratamientos pueden incluir un remojón en una cuba a modo de bañera, con vistas a los viñedos; una vigorosa exfoliación con polvo de semilla de uva seguida de un masaje con aceite de esa misma semilla; o una envoltura en vino y miel que elimina toxinas y deja la piel suave y sedosa. Con el cuerpo completamente renovado por el fruto de la viña, la rústica *tisanerie* ofrece un saludable marco en el que disfrutar de un té de hierbas mezclado con la cosecha local.

TRATAMIENTO CARACTERÍSTICO: VINOTERAPIA

Les Sources de Caudalie, che offre a suoi ospiti 49 camere e suite, dà nuovo slancio alla passione dei francesi per il vino. Mentre il ristorante offre la superba carta dei vini che ci si aspetterebbe di trovare in questa regione, i trattamenti si concentrano su altre qualità eccelse, ma meno note, dell'uva di Bordeaux. Situato ai confini di uno dei vigneti più prestigiosi della regione, l'esterno del centro benessere ricorda le *chais* dei vinai locali, le capanne di legno in cui i vini pregiati sono lasciati invecchiare in modo che sviluppino a pieno tutto il loro profumo. All'interno, il profumo di lieviti emanato dai sottoprodotti dell'uva utilizzati per i trattamenti permea l'aria. Le proprietà anti-invecchiamento della varietà di Cabernet Sauvignon locale sono la *raison d'être* del complesso di Caudalie. Si dice che i polifenoli contenuti nella frutta non solo riducano i radicali liberi causa dell'invecchiamento della pelle, ma migliorino anche la circolazione. Se aggiungiamo poi l'acqua ad alto contenuto di minerali che sgorga dal suolo, ecco come nasce una terapia classificabile come Grand Cru: la vinoterapia. I trattamenti vanno dal bagno in una botte di vino caldo mentre si ammirano vigneti premiati per le loro qualità, a un vigoroso trattamento esfoliante con semi d'uva tritati seguito da un massaggio con olio ai semi d'uva o a un bendaggio disintossicante a base di vino e miele, che lascia la pelle liscia come la seta. Con un corpo rimesso a nuovo dai frutti del vino, la *tisanerie* dalle pareti rivestite di legno accoglie gli ospiti per sorseggiare un infuso alle erbe corretto con i prodotti dei vinai.

TRATTAMENTO ESCLUSIVO: VINOTERAPIA

Les Sources de Caudalie, com 49 quartos e suites, dá um novo alento à paixão francesa pela uva. Enquanto no restaurante podemos apreciar uma esplêndida carta de vinhos com fama de ser a melhor da região, os tratamentos concentram-se nas virtuosas qualidades menos conhecidas da colheita de Bordéus. Situado nos confins de uma das vinhas mais prestigiadas do país, o exterior do spa faz lembrar uma adega da região, os vetustos armazéns de madeira onde os vinhos nobres são deixados a maturar. No interior, o aroma a levedura dos produtos derivados da uva utilizados nos tratamentos impregna o ar. As propriedades anti-envelhecimento da casta Cabernet Sauvignon da região são a razão de ser do Caudalie. Os polifenóis presentes na fruta têm fama não só de reduzir os radicais livres responsáveis pelo envelhecimento da pele, mas também de melhorar a circulação sanguínea. Adicione-se a água rica em minerais que nasce no subsolo e eis que surge uma cura Grand Cru: a *Vinothérapie*. Os tratamentos podem incluir um «estágio» numa pipa de vinho/banheira de água quente com vista para os campos de vinhas premiadas, uma vigorosa esfoliação utilizando pó de grainhas de uva seguida de uma massagem com óleo de grainha ou uma máscara corporal à base de vinho e mel, que deixa a pele suave como seda. Com o corpo profundamente renovado pelos frutos da vinha, a *tisanerie* em madeira proporciona um saudável ambiente para beber infusões «animadas» com especialidades vinícolas.

TRATAMENTO ESPECIAL: VINOTHÉRAPIE

Les Sources de Caudalie
Chemin de Smith Haut Lafitte
33650 Bordeaux-Martillac
France

TEL: +33 5 57838383
FAX: +33 5 57838384
EMAIL: sources@sources-caudalie.com
WEBSITE: www.sources-caudalie.com

Quellenhof

El Dorint Quellenhof de Aquisgrán constituye un incentivo más para que empresas de toda Europa organicen sus encuentros y conferencias en tierras del Rin. Un bullicioso centro de congresos no parece el lugar más apropiado para un balneario de categoría mundial, y sin embargo ¿qué mejor que un masaje para poner fin a un día de almuerzos de trabajo y presentaciones en Power Point? Quellenhof ha creado un entorno basado en la filosofía y los principios holísticos del budismo zen. El Royal Spa del complejo, diseñado por la interiorista Anne Maria Jagfeld y realizado por suntuosos materiales como el nogal, la pizarra negra y el vidrio, se centra en ofrecer relajación y revitalización por medio de programas de *fitness*, tratamientos medicinales y estéticos y terapias restauradoras. Los servicios del Royal Spa abarcan un amplio espectro que va desde la talasoterapia hasta la envoltura en algas. Las instalaciones minimalistas, apropiadamente iluminadas, ponen a disposición del visitante una auténtica panoplia de experiencias: baños turcos, sauna finlandesa, sauna bio, una gruta de hielo, solárium, gimnasio y centro de estética. Para quienes prefieren desconectar del trabajo mediante el ejercicio físico, existen en los alrededores instalaciones para practicar tenis y *squash*, patinar sobre hielo, pescar, montar en bicicleta o a caballo e incluso jugar a los bolos.

TRATAMIENTO CARACTERÍSTICO: ENVOLTURA EN ALGAS

Il Dorint Quellenhof di Aquisgrana ha voluto offrire un motivo in più alle aziende europee per organizzare i loro convegni e conferenze nella valle del Reno. Un centro congressi sempre molto affollato non sembra certo il luogo ideale per ospitare un centro benessere di classe mondiale, ma che cosa potrebbe essere meglio di un bel massaggio per concludere un'intensa giornata di lavoro trascorsa tra presentazioni di relazioni e diapositive e pranzi sempre troppo abbondanti e calorici? Il centro benessere del Quellenhof s'ispira alla filosofia e ai principi olistici del buddismo zen. Il centro benessere Royal Spa è stato realizzato dal designer d'interni Anne Maria Jagfeld con materiali pregiati quali noce, ardesia nera e cristallo, e punta a far rilassare e rinvigorire gli ospiti attraverso programmi per il recupero della forma fisica, trattamenti medici ed estetici e terapie rigeneranti. I servizi offerti dal Royal Spa vanno dalla talassoterapia ai bendaggi a base di alghe. Gli ambienti allestiti secondo i canoni minimalisti sono ben illuminati e offrono una vasta gamma di servizi che includono bagno turco, sauna finlandese, biosauna, grotta fredda, solarium, palestra e salone di bellezza. Per gli ospiti che desiderano «staccare la spina» dai problemi del lavoro dedicandosi all'attività fisica e sottoponendosi a inebrianti trattamenti termali, sono disponibili nelle vicinanze una serie di impianti sportivi per praticare, tra gli altri, tennis, squash, pattinaggio sul ghiaccio e anche il bowling; è, inoltre, possibile andare a cavallo, pescare e noleggiare biciclette.

TRATTAMENTO ESCLUSIVO: BENDAGGIO DI ALGHE

O Dorint Quellenhof, em Aachen, deu às empresas europeias um incentivo extra para realizarem as suas reuniões e conferências na região do Reno. Um movimentado centro de conferências pode não parecer o sítio mais lógico para um spa de eleição, mas haverá melhor maneira de terminar um dia recheado de almoços de trabalho e apresentações em Power Point do que com uma massagem? O Quellenhof criou um ambiente de spa baseado na filosofia e nos princípios holísticos do budismo Zen. O Royal Spa, concebido pela designer de interiores Anne Maria Jagfeld, ostenta materiais sumptuosos como nogueira, ardósia negra e vidro, dando especial ênfase ao relaxamento e à revitalização através de programas de *fitness*, tratamentos medicinais e de beleza, assim como terapias restauradoras. O Royal Spa coloca à disposição dos hóspedes uma gama completa de serviços, desde os banhos Thalasso às máscaras corporais com algas. As instalações minimalistas, dotadas de uma iluminação magnífica, proporcionam uma verdadeira panóplia de experiências ao frequentador do spa, incluindo banho turco, sauna finlandesa, bio sauna, gruta de gelo, solários, centro de *fitness* e salão de beleza. Nas redondezas, não faltam opções para os hóspedes que pretendem abstrair-se do trabalho aliando a actividade física aos luxuosos tratamentos de spa, incluindo ténis, *squash*, patinagem no gelo, pesca, passeios de bicicleta, hipismo e até mesmo *bowling*.

TRATAMENTO ESPECIAL: MÁSCARA CORPORAL COM ALGAS

Dorint Sofitel Quellenhof Aachen
Monheimsallee 52
52062 Aachen
Germany

TEL: +49 241 91320
FAX: +49 241 9132300
EMAIL: info.aahque@dorint.com
WEBSITE: www.dorint.de/aachen

Friedrichsbad Spa

En el Friedrichsbad Spa, las culturas del baño celta y romana convergen en la Selva Negra alemana. El doctor Barter, galeno y trotamundos irlandés del siglo XIX, tuvo la brillante idea de combinar las abluciones con aire caliente de su patria con la aproximación latina a la higiene por medio de agua caliente y vapor. Las fuentes termales de Baden-Baden proporcionaron las condiciones ideales para este encuentro de culturas y, en 1877, el balneario abrió sus puertas para deleite de los ciudadanos locales, quienes quedaron admirados por su esplendorosa fachada renacentista. En la mejor tradición teutona, el ritual del baño consta de 16 pasos a seguir en estricto orden; los bañadores están prohibidos. El aspecto irlandés del tratamiento es el primero en aparecer, con varios baños de aire caliente de intensidad creciente. Un masaje jabonoso de ocho minutos marca la transición hacia los rituales romanos, es decir, diversas inmersiones en vapores y baños. El esplendor de la principal piscina termal invita a detenerse, a medida que la luz del día se filtra a través de la cúpula y baila sobre las aguas, descubriendo los tonos ocre de las cariátides y los intrincados mosaicos que recubren las paredes. Con el cuerpo ya limpio y relajado, un nuevo masaje de ocho minutos elimina cualquier preocupación que pudiera quedar antes de acceder a la zona de relajación, en la que es posible descansar bajo una espectacular cúpula. No sorprende, pues, que Mark Twain señalase que tras diez minutos allí, uno olvidaba el tiempo, y tras veinte minutos, el mundo.

TRATAMIENTO CARACTERÍSTICO: BAÑO IRLANDÉS Y BAÑO ROMANO COMBINADOS

Il complesso del Friedrichsbad Spa è la fusione tra la cultura delle terme tipica dei Celti e quella dei Romani nel paesaggio della Foresta Nera tedesca. Nel XIX sec. il dottor Barter, un medico irlandese che amava molto viaggiare, ebbe l'idea di fondere l'abitudine di purificarsi con l'aria calda tipica del suo paese natio con l'approccio al benessere del mondo latino, che si basava, invece, su una combinazione di acqua calda e vapore. Le sorgenti termali di Baden-Baden offrivano le condizioni ideali per realizzare quest'incontro interculturale. Il centro benessere fu inaugurato nel 1877 e attrasse fin dall'inizio l'attenzione dei locali con la facciata in stile rinascimentale. Il rituale dei bagni si sviluppa attraverso una rigorosa successione di 16 fasi cadenzate con precisione estrema – severamente vietato indossare il costume. Si comincia secondo il rituale irlandese con un paio di bagni in aria calda che diventa gradualmente sempre più intensa. Un massaggio con sapone della durata di otto minuti segna il passaggio al rituale romano. Lo splendore del bagno termale principale invita particolarmente a rilassarsi, mentre la luce, filtrando attraverso una cupola gigantesca, gioca con l'acqua mettendo in risalto i toni ocra delle sculture delle cariatidi e dei ricchi mosaici che adornano le pareti. Con il corpo purificato e rilassato, un massaggio a base di crema in otto minuti elimina ogni pensiero residuo prima del relax finale sotto una cupola imponente. Non c'è da stupirsi che Mark Twain abbia affermato che 10 minuti trascorsi al centro sono sufficienti per perdere la cognizione del tempo, 20 per lasciarsi alle spalle il mondo intero.

TRATTAMENTO ESCLUSIVO: BAGNI ROMANO-IRLANDESI

Nas termas de Friedrichsbad, as culturas de banhos celta e romana convergem na Floresta Negra da Alemanha. No século XIX, o doutor Barter, um médico irlandês que percorreu o mundo, teve a ideia de fundir os tratamentos de purificação à base de ar quente do seu país natal com a abordagem latina, que assentava na combinação de água quente e vapor. As nascentes termais de Baden-Baden proporcionavam as condições ideais para este empreendimento transcultural. As termas abriram as suas portas em 1877, deliciando os habitantes do burgo com a magnífica fachada renascentista. Seguindo a tradição teutónica, o ritual dos banhos desenrola-se numa rigorosa sequência de 16 fases, sendo o fato de banho estritamente proibido. A influência irlandesa faz-se sentir primeiro, numa sucessão de banhos de ar quente cada vez mais intensos. Uma massagem de oito minutos bem ensaboada assinala a transição para os rituais romanos, numa série de banhos de vapor e de imersão. O esplendor do tanque termal principal é uma tentação ao ócio, onde uma enorme cúpula filtra a luz do dia que faz sobressair os tons ocre das cariátides esculpidas e dos intrincados mosaicos que revestem as paredes circulares. Com o corpo bem limpo e relaxado, uma cremosa massagem de oito minutos leva consigo qualquer infortúnio que ainda restasse antes de passarmos à área de repouso para descansarmos sob uma cúpula que infunde respeito. Não admira que Mark Twain se tenha sentido compelido a observar que após 10 minutos aqui passados nos esquecemos do tempo e ao fim de 20 minutos já não nos lembramos do mundo.

TRATAMENTO ESPECIAL: BANHOS CELTAS E ROMANOS

Friedrichsbad Spa
Römerplatz 1
76530 Baden-Baden
Germany

TEL: +49 7221 275940
FAX: +49 7221 275980
EMAIL: info@carasana.de
WEBSITE: www.carasana.de

Brenner's Park-Hotel & Spa

El Brenner's Park-Hotel & Spa es un destacado hotel decimonónico sito en un parque privado frente al río Oos, y fue construido originalmente para acoger a la elite cosmopolita que llegaba a Baden-Baden a tomar las aguas (desde tiempos de los romanos, la región es conocida en toda Europa por los poderes curativos de sus fuentes termales). El Brenner's Spa es una aproximación moderna a los tratamientos de la vieja Europa, en el que sus distintas áreas llevan nombres como *relaxarium* (refugio) y *frigidarium* (piscina exterior fría). Consta también de un jardín japonés, una sauna tradicional finlandesa y baños de burbujas aromatizados. La *suite* privada del balneario incluye un baño de burbujas propio, sauna y duchas, así como un baño de vapor japonés aromatizado con jazmines y orquídeas y un *laconicum* completo con cálidos asientos de cuarzita verde. Entre los tratamientos propios del balneario destaca el Masaje Místico del Maharajá, en el que el terapeuta se vale sólo de sus pies y piernas para masajear el cuerpo y de las manos para tratar la cabeza y el cuero cabelludo; también cabe mencionar el de Iluminación Interior, en el que se emplean con generosidad productos de belleza de Bulgari. La Clínica de la Selva Negra forma parte del complejo Brenner's y está especializada en medicina interna: el gimnasio dispone de sala de aeróbic y de una terraza para ejercitarse en exteriores. Los huéspedes de este hotel de 100 habitaciones pueden también bañarse en una piscina rodeada de frescos y columnas jónicas.

TRATAMIENTO CARACTERÍSTICO: MASAJE MÍSTICO DEL MAHARAJÁ

Rinomato hotel del XIX sec., ubicato all'interno di un parco privato sul fiume Oos, il complesso del Brenner's Park-Hotel & Spa fu costruito inizialmente per ospitare l'élite cosmopolita che arrivava a Baden-Baden per fare la cura delle acque. (Già ai tempi dei Romani, Baden-Baden era nota in tutta l'Europa per le proprietà curative delle sue sorgenti termali.) Il centro benessere del complesso alberghiero è una ventata di modernità che ringiovanisce un mondo antico, cui si rifanno le aree denominate Relaxarium (rifugio) e Frigidarium (una vasca fredda all'aperto), insieme a un giardino giapponese, alla classica sauna finlandese e a vasche idromassaggio individuali in cui apprezzare il piacere di bagni aromatizzati. La suite privata del centro benessere è dotata di vasca idromassaggio, sauna e doccia, oltre a un Japanese Flower Blossom Steam Bath, un bagno di vapore ai boccioli di gelsomino e orchidea, e un Laconicum, con sedili caldi di quarzite verde. Sono disponibili trattamenti esclusivi quali il Maharaja Massage Mystics, in cui il terapista esegue il massaggio del corpo usando solo gambe e piedi e riservando le mani solo alla testa, e Inner Illumination, in cui i prodotti di bellezza Bulgari sono utilizzati in un modo straordinariamente piacevole. La Clinica della Foresta Nera, inserita nel complesso, è specializzata in medicina interna; il centro fitness è dotato di sala per l'aerobica e di una terrazza per allenarsi all'aperto. Gli ospiti dell'albergo, che dispone di 100 camere, possono usufruire anche della piscina, circondata da affreschi e colonne ioniche.

TRATTAMENTO ESCLUSIVO: MAHARAJA MASSAGE MYSTICS

Monumental hotel do século XIX situado num parque privado com vista para o rio Oos, o Brenner's Park-Hotel & Spa foi construído com o intuito de albergar a elite cosmopolita que vinha a banhos a Baden-Baden. (As propriedades curativas das nascentes termais de Baden-Baden já são conhecidas na Europa desde o tempo dos romanos.) O Brenner's Spa é uma abordagem moderna a uma secular tradição de rejuvenescimento, com áreas denominadas Relaxarium (retiro) e Frigidarium (tanque de água fria ao ar livre), além de um jardim japonês, sauna finlandesa tradicional e banheiras de hidromassagem aromatizadas individuais. A suite com spa privativo está equipada com a sua própria banheira de hidromassagem, sauna, chuveiro e um banho a vapor com flores japonesas, aromatizado com jasmim e orquídeas, e um Laconicum, com bancos aquecidos de quartzito verde. Entre os tratamentos especiais conta-se o Maharaja Massage Mystics, em que um terapeuta utiliza apenas as pernas e os pés para massajar o corpo e as mãos apenas na cabeça e couro cabeludo, e o Inner Illumination, um tratamento no qual são usados produtos de beleza Bulgari de uma forma absolutamente soberba. A Black Forest Clinic, que também integra o complexo do Brenner's, especializa-se em medicina interna; o centro de *fitness* tem um estúdio de aeróbica e um terraço para exercícios ao ar livre. Os hóspedes deste hotel com 100 quartos também podem praticar desporto na piscina do hotel, rodeada de frescos e colunas jónicas.

TRATAMENTO ESPECIAL: MAHARAJA MASSAGE MYSTICS

Brenner's Park-Hotel & Spa
Schillerstraße 4–6
76530 Baden-Baden
Germany

TEL: +49 7221 9000
FAX: +49 7221 387732
EMAIL: info@brenners.com
WEBSITE: www.brenners.com

Liquidrom at the Tempodrom

A medio camino entre balneario y sala de conciertos, el Liquidrom establece un nuevo estándar en lo tocante a la armonía con las aguas. El balneario forma parte del Tempodrom, un complejo berlinés que acoge desde teatro clásico hasta espectáculos de *rock*, y añade una dimensión líquida a las siempre cambiantes posibilidades de diversión que ofrece el enclave. Los bañistas flotan en una piscina enriquecida con sales, inmersos en agua que vibra con la música, obnubilados por el espectáculo de luces de la bóveda. De día, el balneario se concentra en los tratamientos. El más famoso de ellos, Aqua Wellness, es un melodioso masaje subacuático, en el que el cuerpo flota sobre una mesa y los masajistas tienen 360 grados de acceso a los grupos musculares cargados de estrés. Una vez masajeado a placer, el visitante puede decidirse por las saunas, los baños de vapor o bien un *onsen* de estilo japonés exterior, en el que la temperatura del agua alcanza los 38 °C y toda tensión desaparece. Ya entrada la noche, la selección musical oscila entre el *jazz*, la música clásica y el *new age;* todas adquieren una nueva dimensión en función del público presente.
TRATAMIENTO CARACTERÍSTICO: AQUA WELLNESS

Unendo idealmente il centro benessere e l'auditorium, il Liquidrom impone un nuovo standard quando si parla di essere in armonia con l'acqua. Inserito nel complesso del Tempodrom, una struttura allestita a Berlino per ospitare eventi che spaziano dal teatro classico ai concerti rock, aggiunge una dimensione «idrica» permanente ai divertimenti sempre nuovi che la struttura mette a disposizione. I bagnanti si lasciano galleggiare nella piscina arricchita di sali minerali, i corpi immersi nell'acqua vibrante di note musicali, i sensi ravvivati dai ritmici giochi di luce proiettati sul soffitto a cupola. Durante il giorno, l'attenzione è puntata sull'alimentazione. Il trattamento esclusivo, cosiddetto Aqua Wellness, è un melodioso massaggio subacqueo – in cui il corpo galleggia anziché stare disteso su un lettino, e il massaggiatore ha la possibilità di raggiungere a 360° i gruppi muscolari tesi. Questa particolare manipolazione consente di raggiungere un autentico stato di beatitudine. A questo punto si può scegliere tra sauna, bagni di vapore o un onsen stile giapponese all'aperto, dove la temperatura dell'acqua tocca i 38° C, per liberarsi rapidamente di ogni tensione residua. Al calar delle tenebre, una ricca selezione di programmi musicali dal jazz al classico alla New Age – e tutto assume una nuova dimensione se il pubblico è su di giri.
TRATTAMENTO ESCLUSIVO: AQUA WELLNESS

Num conceito que tem tanto de spa como de sala de concertos, o Liquidrom define um novo padrão no que diz respeito à harmonia com a água. Integrado no complexo Tempodrom, um local em Berlim que acolhe todo o tipo de eventos, de teatro clássico a festivais de música rock, acrescenta uma dimensão líquida permanente aos diversos espectáculos que constantemente se realizam no resto do complexo. Os banhistas flutuam numa piscina salinizada, com os corpos imersos na água que ressoa com a música e com os sentidos absortos num espectáculo de luzes rítmicas projectado no tecto abobadado. Durante o dia, o objectivo é relaxar. O tratamento especial Aqua Wellness é uma melodiosa massagem subaquática: com o corpo a flutuar em vez de estar deitado numa mesa, os massagistas têm acesso total aos grupos musculares fatigados. Depois de serem afagados até um estado de glória, os banhistas podem optar pelas saunas, banhos turcos ou um onsen ao estilo japonês, onde a temperatura da água atinge os 38°, derretendo rapidamente qualquer tensão que ainda resista. Depois de escurecer, há uma selecção variada de programas musicais que vão dos sons jazz, à música clássica ou aos ritmos New Age, os quais adquirem novas dimensões com um público flutuante.
TRATAMENTO ESPECIAL: AQUA WELLNESS

Liquidrom at the Tempodrom
Möckernstraße 10
10963 Berlin
Germany

TEL: +49 30 74737171
FAX: +49 30 74737172
EMAIL: info@liquidrom.com
WEBSITE: www.liquidrom.com

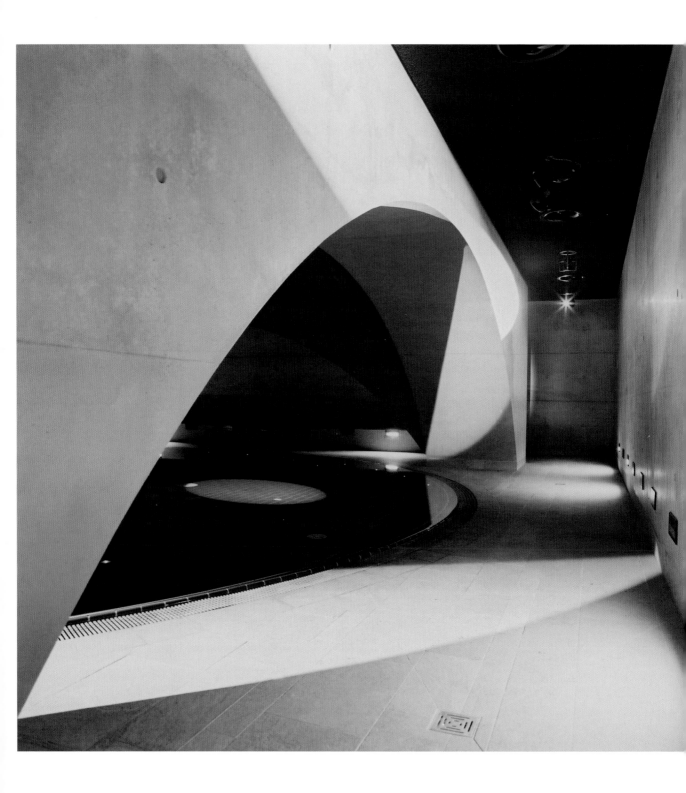

Blue Lagoon

El espectacular paisaje en el que se enmarca (sobre un fondo de montañas y edificios relucientes, una nube de vapor surge de las aguas de un intenso azul) hacen de Blue Lagoon el lugar más fotografiado de Islandia. Situada a una hora en coche desde Reykiavik, la «laguna» es en realidad el aflujo de una cercana central eléctrica que forma un embalse de aguas geotermales, cuyas temperaturas oscilan entre los 38 y los 43 °C. El agua está cargada de beneficiosos minerales naturales (sales, sílice y algas azules) que la dotan de su color característico. Los baños en la laguna comenzaron en 1981, y pacientes aquejados de problemas dermatológicos como psoriasis comenzaron a ensalzar las propiedades curativas de las aguas. En el balneario, esta agua se renueva por completo cada veinticuatro horas: es posible alquilar bañador, albornoz y toalla, y simplemente empaparse en las cascadas, las aguas termales, la sauna, el baño de vapor y las cuevas de lava. Se pone a disposición del huésped masajes y tratamientos corporales acuáticos, así como tratamientos integrales. Las instalaciones están abiertas durante todo el año, y resultan ideales para disfrutar de los largos días estivales y de la calma extraordinaria del invierno. Existe también un moderno y atrevido restaurante escandinavo cerca del embalse que sirve marisco obtenido en una cercana población pesquera. Toda la visita a Blue Lagoon resulta tan atractiva y sorprendente como la propia Islandia.

TRATAMIENTO CARACTERÍSTICO: MASAJE CON SÍLICE

L'incredibile scenografia – vapore che sale dal blu intenso della laguna circondata da cime innevate e architettura brillante – fa del Blue Lagoon la struttura più fotografata di tutta l'Islanda. A un'ora dalla capitale Reykjavik, la «laguna» è effettivamente un bacino geotermico formato dalle acque di superficie di una vicina centrale elettrica. L'acqua, che ha una temperatura che oscilla intorno a 38–43° C, è ricca di minerali naturali benefici (sali, silice e alghe blu), che le conferiscono il caratteristico colore. La consuetudine di bagnarsi nella laguna è nata nel 1981, da quando, cioè, i soggetti con malattie cutanee quali la psoriasi hanno cominciato a decantare le proprietà curative delle acque. Al centro benessere, l'acqua si ricambia completamente ogni 24 ore; è possibile noleggiare costumi, accappatoi e asciugamani, e immergersi nell'acqua, passeggiare attraverso le cascate, le pozze calde, fare la sauna, provare il bagno di vapore o la caverna di lava. Sono disponibili massaggi effettuati nell'acqua e trattamenti per il corpo che vanno dal massaggio facciale all'impacco con sali, e anche trattamenti olistici. Il centro è aperto tutto l'anno, e ciò consente di approfittare delle lunghe giornate estive o della calma preternaturale dell'inverno. Il moderno ristorante scandinavo, affacciato sull'acqua, propone un menù a base di pesce proveniente da un vicino villaggio di pescatori. Un soggiorno al Blue Lagoon può essere un'esperienza straordinaria e bizzarra come un viaggio nella terra d'Islanda.

TRATTAMENTO ESCLUSIVO: MASSAGGIO CON SILICE

É o cenário impressionante e de outro mundo, onde pontifica o vapor a erguer-se de uma água profundamente azul rodeada de montanhas e formas arquitectónicas brilhantes, que faz do Blue Lagoon o local mais fotografado da Islândia. A uma hora de carro de Reiquiavique, a «lagoa» é, na verdade, o local onde desaguam as águas de uma central eléctrica situada nas proximidades, formando uma piscina de águas geotérmicas com temperaturas entre os 38° e os 43°. A piscina é rica em minerais naturais benéficos (sais, sílica e algas azuis), que conferem a cor característica da lagoa. As pessoas começaram a ir tomar banho à lagoa em 1981 e os pacientes com problemas de pele, tal como psoríase, começaram a louvar as propriedades curativas da água. No spa, a água é completamente renovada a cada 24 horas e é possível alugar um fato de banho, roupão e toalha e entrar na água, percorrendo cascatas, locais quentes, sauna, banho turco e grutas de lava. Estão ao nosso dispor massagens dentro de água e tratamentos corporais, tais como o Spa Facial ou o Salt Glow, assim como tratamentos holísticos. As instalações estão abertas todo o ano, sendo ideal para usufruir dos longos dias de Verão ou da incrível calma do Inverno. Há ainda um restaurante de elegantes linhas escandinavas com vista para as águas que serve marisco proveniente de uma aldeia piscatória nas redondezas. Toda a experiência da Lagoa Azul é tão refrescante e bizarra como a própria Islândia.

TRATAMENTO ESPECIAL: MASSAGEM COM SÍLICA

Blue Lagoon
Svartsengi
240 Grindavik
Iceland

TEL: +354 420 8800
FAX: +354 420 8801
EMAIL: bluelagoon@bluelagoon.com
WEBSITE: www.bluelagoon.is

Capri Palace Hotel & Spa

El Capri Palace Hotel & Spa se alza en la atractiva isla italiana que le da nombre y constituye un segundo hogar para el viajero impenitente en busca de relajación y rejuvenecimiento. El hotel, de líneas mediterráneas clásicas, dispone de 77 habitaciones y *suites*, y tiene aire de un elegante *palazzo*, con columnas romanas, techos abovedados, espejos dorados y un esquema cromático que abarca todas las gamas del blanco. En el balneario, la Capri Beauty Farm, la estética personal se antepone a otras consideraciones. Tener buen aspecto es aquí algo importante, y los médicos supervisan muchos de los tratamientos. Obedecer las órdenes de los médicos puede significar darse un baño en la piscina de hidroterapia para a continuación someterse a una envoltura de algas. O bien una dieta personalizada combinada con una tabla ejercicios, diseñadas por un equipo de entrenadores personales y expertos en nutrición. Existe un tratamiento especial para las extremidades inferiores, la Escuela de Piernas, en el que tras un diagnóstico (problemas circulatorios, celulitis, varices), se inicia un programa de terapias complementarias que combinan técnicas tradicionales y alternativas. Así, los baños de fango y los apósitos estimulan la circulación, mientras los drenajes linfáticos y el masaje en profundidad eliminan toxinas. Quienes se someten al programa atestiguan una reducción de volumen y una mayor esbeltez de los muslos, que posteriormente tienen oportunidad de lucir en el solario del hotel.

TRATAMIENTO CARACTERÍSTICO: ESCUELA DE PIERNAS

Situato nella parte più alta della pittoresca isola italiana da cui la struttura prende il nome, il Capri Palace Hotel & Spa fa sentire come a casa propria gli ospiti che lo scelgono per rilassarsi e rinvigorirsi. Riprendendo l'architettura classica mediterranea, l'albergo, che dispone di 77 camere e suite, somiglia ad un elegante palazzo con colonne romaniche, soffitti a volta, specchi con cornici dorate e una combinazione di colori molto tenui. Il centro benessere, denominato Capri Beauty Farm (e mai nome fu più adatto), cura soprattutto l'estetica della persona: avere un aspetto gradevole è molto importante e la maggior parte dei trattamenti è effettuata sotto controllo medico. Le prescrizioni mediche vanno da un'idroterapia con successivo bendaggio di alghe a una dieta personalizzata e un programma di esercizi stilato da un'équipe di nutrizionisti e personal trainer. L'esclusivo programma «Scuola delle Gambe» è stato elaborato appositamente per gli arti inferiori – problemi quali cattiva circolazione, cellulite e vene varicose sono diagnosticati e poi curati con un ciclo di terapie complementari che combinano approcci tradizionali e alternativi. Ad esempio, fanghi e bendaggi medicati stimolano la circolazione mentre linfodrenaggi e massaggi dei tessuti profondi eliminano le tossine. Chi sceglie questo programma può riscontrare che la pelle appare più liscia e più tonica, le cosce si sgonfiano e possono essere esibite nei popolari lidi balneari baciati dal sole.

TRATTAMENTO ESCLUSIVO: SCUOLA DELLE GAMBE

Situado na pitoresca ilha italiana à qual foi buscar o nome, o Capri Palace Hotel & Spa é como uma «casa longe de casa» para o peripatético em busca de descontracção e rejuvenescimento. Inspirado em linhas mediterrânicas clássicas, o hotel, com 77 quartos e suites, assemelha-se a um gracioso *palazzo* com colunas romanescas, tectos abobadados, espelhos com molduras douradas e um esquema cromático baseado no branco. No spa, muito correctamente denominado Capri Beauty Farm, o ponto forte é a estética pessoal. Aqui, a aparência é levada muito a sério, sendo muitos tratamentos supervisionados por médicos. Cumprir as ordens do doutor poderá significar um mergulho na piscina de hidroterapia seguido de uma máscara corporal à base de algas ou uma dieta personalizada complementada com um plano de exercícios físicos definido por uma equipa de nutricionistas e treinadores pessoais. A famosa Escola das Pernas concentra-se nos membros inferiores: os problemas como má circulação, celulite ou varizes são diagnosticados e, de seguida, tratados com um conjunto de terapias complementares que combinam abordagens tradicionais e alternativas. Por exemplo, os banhos de lama e as compressas medicinais estimulam o fluxo sanguíneo enquanto a drenagem linfática manual e a massagem profunda eliminam as toxinas. Quem frequenta esta «escola» sente as pernas menos inchadas e as coxas mais elegantes, não faltando oportunidades para as ir mostrar no concorrido e solarengo terraço do lido.

TRATAMENTO ESPECIAL: ESCOLA DAS PERNAS

Capri Palace Hotel & Spa
Via Capodimonte, 2b
80071 Anacapri
Capri, Italy

TEL: +39 0 81 9780111
FAX: +39 0 81 8373191
EMAIL: info@capri-palace.com
WEBSITE: www.capri-palace.com

Vigilius Mountain Resort

El acceso al remoto y elegantísimo Vigilius Mountain Resort (así llamado en honor de san Vigilio, a quien se venera por su altruismo e inteligencia) sólo es posible a pie o con teleférico. Si bien la población está a una distancia prudente en coche desde grandes ciudades como Zúrich y Milán, su ubicación en la cima del monte Vigiljoch, al sur del Tirol, es garantía para el huésped de que apenas le perturbará otro ruido que el de los cencerros. Matteo Thun, arquitecto del complejo, declaró que su diseño representa para él una investigación a caballo entre el espacio físico y la definición del lugar de la naturaleza en la mente. En consecuencia, este idílico refugio protegido por los Dolomitas ofrece un programa que va mucho más allá de los habituales masajes (aun cuando éstos también están disponibles). Durante el otoño y el invierno, los huéspedes tienen la oportunidad de participar en la Semana de Concentración, un programa intensivo y único pensado como pausa durante la que mejorar la salud y el bienestar personales. Se recomienda al huésped que participe en esta «semana de modelado vital» (diseñada específicamente para tener efecto sobre la vida en el «mundo real») dos veces al año. Este planteamiento reposado e integrador encuentra eco en la arquitectura: el complejo no sólo es estéticamente impresionante, también es extremadamente respetuoso con su entorno.

TRATAMIENTO CARACTERÍSTICO: SEMANA DE CONCENTRACIÓN

Isolatissimo ed estremamente «in», il Vigilius Mountain Resort (che prende il nome da San Vigilio, famoso per il suo altruismo e la sua intelligenza), si raggiunge solo a piedi o in funivia. Anche se si trova a poca distanza d'auto da centri nevralgici quali Zurigo e Milano, la sua posizione in cima al monte Vigiljoch, nel Sud Tirolo, fa in modo che il rumore più forte che giunge alle orecchie dei suoi ospiti durante il soggiorno sia quello delle campane al collo delle mucche. Secondo Matteo Thun, architetto del Vigilius, questo progetto rappresenta un'esplorazione tra lo spazio fisico e la definizione dello spazio mentale della natura. In linea con questa filosofia, l'idilliaco centro dolomitico offre un programma che si spinge ben oltre un semplice massaggio di un'ora (che ovviamente, però, è disponibile). In autunno e in inverno, gli ospiti del Vigilius possono scegliere la Focus Week, un esclusivo programma intensivo concepito come un momento di «pausa» per migliorare la salute e il benessere personali. Agli ospiti si raccomanda di partecipare due volte all'anno a questa settimana di modellamento della vita – creata specificamente per influenzare il loro atteggiamento anche dopo il ritorno al «mondo reale». Questo approccio integrativo e meditativo è rispecchiato appieno dall'architettura del Vigilius: un resort montano di prim'ordine che non è solo esteticamente bello, ma anche rispettoso dell'ambiente.

TRATTAMENTO ESCLUSIVO: FOCUS WEEKS

Ao remoto e chiquérrimo Vigilius Mountain Resort (nome inspirado em São Virgílio, conhecido pelo seu altruísmo e inteligência) só se chega de carro ou a pé. Embora a povoação não fique muito longe de grandes cidades como Zurique ou Milão, o facto de estar situada no topo do monte Vigiljoch no sul do Tirol garante que os hóspedes pouco mais ouvirão do que os chocalhos das vacas à distância. Matteo Thun, o arquitecto do Vigilius, afirmou que para si a concepção do *resort* representa uma investigação entre o espaço físico e a definição do lugar mental da natureza. Assim, não é de estranhar que este retiro idílico enquadrado pelos Dolomitas ofereça um programa que se estende muito para além da tradicional massagem de uma hora (embora também esteja disponível). Durante o Outono e o Inverno, os hóspedes do Vigilius têm a oportunidade de participar numa Semana do Bem-estar, um programa único e intensivo concebido para «fazer uma pausa» para melhorar a saúde pessoal e o bem-estar. Os hóspedes são encorajados a repetir duas vezes por ano esta semana de reformulação de hábitos de vida, pensada para influenciar a sua postura no «mundo real». Esta abordagem cuidada e de integração também se reflecte na arquitectura do Vigilius: este *resort* no topo da montanha é espectacular em termos estéticos, mas não esquece o respeito pelo ambiente.

TRATAMENTO ESPECIAL: SEMANAS DO BEM-ESTAR

Vigilius Mountain Resort
Vigiljoch
39011 Lana, Italy

TEL: +39 0473 556600
FAX: +39 0473 556699
EMAIL: info@vigilius.it
WEBSITE: www.vigilius.it

Bulgari Hotel

La lujosa marca italiana Bulgari es garantía de sofisticación aderezada con un saludable toque de *dolce vita*, como bien puede verse en su principal hotel y balneario, sito en el distrito de moda de Milán. El balneario Bulgari ocupa un antiguo convento de monjas rodeado de jardines botánicos. El diseño es de inspiración asiática y presenta opulentos materiales locales, como piedra de Vicenza y mármol turco de Afyon. La piscina interior de mosaicos dorados se hace eco de la tradición de baños reparadores, al tiempo que aporta el necesario toque de *glamour* italiano. El balneario ofrece tres tratamientos característicos que incluyen exclusivos productos Bulgari, entre los que se encuentra el tratamiento holístico de espalda, rostro y cuero cabelludo, para el que se emplean piedras calientes. Un intenso tratamiento facial elimina toxinas antes de proceder a un relajante masaje de espalda y cuero cabelludo en el que se emplea la acupresión para aliviar los puntos de estrés. A continuación se disponen piedras calientes sobre la columna vertebral, los hombros y el cuello para estimular los puntos de energía vital. El proceso culmina en un masaje de cabeza. El huésped puede redondear su estancia en los baños turcos del balneario, en el jardín de meditación, o incluso con una copa de *vino rosso* en la terraza frente a la que se abre el opulento jardín. El balneario Bulgari ofrece los cuidados necesarios para el apasionado de la moda tras un ajetreado día de compras en las famosas Via Montenapoleone y Via delle Spiga, que se encuentran a la vuelta de la esquina.

TRATAMIENTO CARACTERÍSTICO: TERAPIA HOLÍSTICA PARA ESPALDA, ROSTRO Y CUERO CABELLUDO

La celebre Casa Bulgari ha trasferito tutta la sua tradizionale ricercatezza, insieme a una generosa dose di «dolce vita», nel suo primo hotel e centro benessere, nel quartiere della grande moda di Milano. Situato in un ex convento e circondato da giardini botanici, il Bulgari Hotel spa si ispira al design asiatico e utilizza materiali sontuosi come pietra vicentina e *apyhon* turco. La piscina coperta, pavimentata da un mosaico dorato, riprende l'antica tradizione delle «acque», aggiungendovi una nota di raffinatezza tutta italiana. Il centro termale offre tre trattamenti speciali che utilizzano prodotti esclusivi firmati Bulgari, tra cui il completissimo trattamento olistico per la schiena, il viso e il cuoio capelluto con massaggio con le pietre calde. Si inizia con un trattamento intensivo e disintossicante per il viso, seguito da un massaggio rilassante per la schiena e il cuoio capelluto che si serve delle tecniche dell'agopressione per rilassare i punti specifici in cui si concentra la tensione. Subito dopo, lungo la colonna vertebrale, sulle spalle e sul collo vengono sistemate pietre calde , per stimolare i punti energetici vitali. Un massaggio alla testa completa il trattamento. Gli ospiti possono concludere la giornata dedicata al benessere con una visita al bagno turco dell'hotel, sostando nel giardino per la meditazione, o sorseggiando un bicchiere di vino rosso sulla terrazza, da cui si gode una splendida vista sul giardino dell'hotel. L'hotel Bulgari Spa è la meta ideale per rilassarsi dalla tensione accumulata in una frenetica giornata di shopping nelle famosissime via Montenapoleone e via della Spiga, che si trovano appena dietro l'angolo.

TRATTAMENTO ESCLUSIVO: TRATTAMENTO OLISTICO PER LA SCHIENA, IL VISO E IL CUOIO CAPELLUTO

A marca italiana de artigos de luxo Bulgari promete uma experiência que combina a sua conhecida sofisticação com uma dose saudável de *dolce vita* no seu principal hotel e spa, situado na zona mais *in* de Milão. Instalado num antigo convento de freiras rodeado de jardins botânicos, o Bulgari spa revela uma concepção de inspiração asiática onde não faltam materiais opulentos da região, como a pedra de Vicenza e o Apyhon turco. A piscina interior, revestida a mosaico dourado, reflecte a ancestral tradição do bem-estar pelas águas, sem esquecer uma boa dose de charme italiano. O spa propõe três tratamentos especiais que utilizam produtos Bulgari exclusivos, incluindo o abrangente Tratamento Holístico Lombar, Facial e do Couro Cabeludo com a terapia de pedras quentes. O tratamento de rosto desintoxicante e intensivo antecede uma relaxante massagem lombar e do couro cabeludo que utiliza a acupressão para aliviar os pontos de tensão acumulada. De seguida, são depositadas pedras quentes ao longo da coluna lombar, ombros e pescoço para estimular os pontos de energia vital. Esta experiência chega ao fim com uma massagem na cabeça. Os hóspedes podem acabar o dia no banho turco do spa, no jardim de meditação ou com um copo de *vino rosso* tomado no terraço com vista para os jardins verdejantes do hotel. O Bulgari Spa tem todos os mimos de que qualquer *fashionista* precisa depois de um dia frenético às compras na Via Montenapoleone e na Via delle Spiga, que ficam mesmo ao virar da esquina.

TRATAMENTO ESPECIAL: TRATAMENTO HOLÍSTICO LOMBAR, FACIAL E DO COURO CABELUDO

Bulgari Hotel
Via Privata Fratelli Gabba 7b
20121 Milan
Italy

TEL: +39 02 8058051
FAX: +39 02 805805222
EMAIL: milano@bulgarihotels.com
WEBSITE: www.bulgarihotel.com

Grotta Giusti Terme & Hotel

El bucólico entorno toscano en el que se enmarca el balneario Grotta Giusti no permite adivinar el sofocante averno que se agita en el subsuelo. Bajo los verdes prados, los elementos han abierto una caverna subterránea en la que bullentes aguas minerales arrojan un salutífero vapor. Entre estalactitas y estalagmitas creadas a lo largo de milenios, los huéspedes, ataviados con blancas túnicas de algodón, se reclinan en tumbonas de madera mientras expulsan toxinas y aspiran los vapores curativos de estas tres cámaras dantescas. La temperatura asciende a medida que se penetra en las cuevas. En el Paraíso, el termómetro alcanza los 31 °C. En el Purgatorio, la temperatura sube hasta los 31,5 °C. Y en el Infierno, la cámara más profunda, sube hasta 34 °C, con un asfixiante nivel de humedad del 100 %. El pequeño aunque enérgico lago Limbo, al fondo de la gruta, es la fuente de toda esta actividad termodinámica. De regreso en el exterior, el balneario ofrece una amplia gama de tratamientos. Algunos, como la inhalación termal en aerosol, han sido diseñados para combatir enfermedades específicas. Otros, como el hidromasaje y las distintas fangoterapias, son de carácter lúdico. Las posibilidades de ejercitarse son igualmente amplias, e incluyen desde yoga y *tai chi* hasta aeróbic. Cerca de allí, la mansión del siglo XIX reconvertida en un hotel de 64 habitaciones y *suites* ofrece un espacio libre de sudores. Sus frescas y acondicionadas salas llenas de antigüedades constituyen un verdadero paraíso a la italiana.

TRATAMIENTO CARACTERÍSTICO: BAÑO DE VAPOR TERMAL

La bucolica località toscana in cui sorge il Grotta Giusti Spa nasconde l'inferno che infuria nelle viscere della terra. Sotto questa valle verdeggiante, gli elementi naturali hanno scavato una caverna sotterranea dove acque minerali ribollono ed emettono vapori benefici. Tra stalattiti e stalagmiti scolpite nei millenni, gli ospiti coperti da tuniche di cotone bianco si rilassano su sdraio di legno mentre, sudando, espellono tossine e inalano vapori curativi in una delle tre camere dantesche. La temperatura aumenta man mano che si scende di livello. In Paradiso, il termometro sfiora 31° C. In Purgatorio, raggiunge 31,5° C. All'Inferno, il livello più basso, la temperatura è di 34° C con un'umidità del 100%. Il piccolo, ma potente Limbo, il lago che sta sul fondo della caverna, è la fonte di tutta quest'energia termodinamica. Ritornando in superficie, nel centro benessere rivestito di pietra si possono effettuare diversi trattamenti. Alcuni, come l'aerosol termale, sono stati appositamente sviluppati per curare patologie specifiche. Altri, come l'idromassaggio e una selezione di fanghi, sono destinati semplicemente al piacere. Altrettanto diverse sono le possibilità per mantenersi in forma, che vanno dallo yoga al tai chi e all'aerobica. La vicina villa del XIX sec. che ospita l'albergo con 64 camere e suite è il luogo dove non si suda; gli ambienti, arredati con mobili in stile antico, sono infatti climatizzati. In poche parole, l'albergo è un autentico paradiso italianizzato.

TRATTAMENTO ESCLUSIVO: BAGNO DI VAPORE TERMALE

A bucólica região toscana onde fica situado o Grotta Giusti Spa não deixa perceber o inferno que se faz sentir nas profundezas. Por baixo deste imenso espaço verdejante, os elementos rasgaram uma caverna subterrânea onde águas borbulhantes e ricas em minerais produzem um vapor benéfico para a saúde. Entre estalactites e estalagmites esculpidas ao longo dos milénios, os hóspedes envergando túnicas de algodão branco recostam-se nas espreguiçadeiras de madeira, suando as toxinas e inalando os vapores medicinais numa das três câmaras dantescas. As temperaturas sobem à medida que vamos descendo. No Paraíso, o termómetro regista 31°. No Purgatório chega aos 31,5°. E no Inferno, a câmara mais profunda, as temperaturas disparam para os 34° com o nível de humidade a atingir 100%, deixando qualquer pessoa ensopada. O pequeno, mas energético lago Limbo na base da gruta é a fonte de toda a acção termodinâmica. Lá em cima, à superfície, o spa coloca à nossa disposição uma vasta gama de tratamentos num ambiente dominado pela pedra. Alguns dos tratamentos, como a inalação de aerossóis, destinam-se a maleitas específicas. Outros, como a hidromassagem e uma selecção de tratamentos à base de argila, são apenas para o mais puro prazer. As opções de exercícios também são muito diversificadas, incluindo tudo o que se possa imaginar desde yoga, tai chi até aeróbica. Ali próximo, a vila do século XIX que alberga o hotel de 64 quartos e suites proporciona uma zona onde não é preciso transpirar para nos sentirmos bem. A melhor descrição para as divisões com ar condicionado e repletas de antiguidades é a de *paradiso* italiano.

TRATAMENTO ESPECIAL: BANHO DE VAPOR TERMAL

Grotta Giusti Terme & Hotel
Via Grotta Giusti 1411
51015 Monsummano Terme
Italy

TEL: +39 (0)572 90771
FAX: +39 (0)572 9077300
EMAIL: info@grottagiustispa.com
WEBSITE: www.grottagiustispa.com

Les Thermes Marins de Monte-Carlo

Montecarlo: el nombre basta para evocar imágenes de *glamour* y opulencia. El balneario Les Thermes Marins de Monte-Carlo, construido por indicación del príncipe Rainiero III y dirigido por un experto en talasoterapia, no desentona ni mucho menos en la imagen. La principal característica de la fachada rosa pálido son las altísimas ventanas en las que se reflejan los destellos de un Mediterráneo bañado casi siempre por el sol. Una terraza descubierta frente al mar permite a los visitantes disfrutar de deliciosas y nutritivas comidas, y es un auténtico placer para los amantes del *soleil*. En las cuatro plantas del complejo, la luz inunda la piscina interior de recreo, reminiscente de Botticelli, en la que el agua salada extraída de las profundidades del Mediterráneo brilla bajo una bóveda en forma de ostra. Una segunda piscina destinada a los tratamientos consta de chorros de presión y una amplia variedad de equipamiento. Expertos «terapeutas marinos» se valen de éste para liberar la tensión de los músculos y eliminar el estrés, al tiempo que supervisan los diferentes tratamientos con agua de mar. Además de las piscinas, existe una zona seca en la que recibir masajes frente al azul del mar, un gimnasio muy moderno para tonificar el cuerpo y un *hammam* de mármol en el que sudar las impurezas en un ambiente principesco.

TRATAMIENTO CARACTERÍSTICO: TRATAMIENTOS CON AGUA DE MAR

Montecarlo – basta il nome per evocare immagini di lusso, glamour e opulenza. Il centro benessere di Les Thermes Marins de Monte-Carlo, costruito per volontà del Principe Ranieri III e affidato alla direzione di un famoso esperto di talassoterapia, è perfettamente in linea con tale idea e si spinge anche oltre. La caratteristica dominante della pregevole facciata di colore rosa pallido sono le finestre ad arco che catturano i riflessi del Mediterraneo che riluce sotto il sole che risplende per quasi tutto l'arco dell'anno. Su una terrazza scoperta affacciata sul lungomare si possono gustare pasti deliziosi, ma sani, ed è la meta preferita dei fanatici della tintarella. All'interno della struttura che si sviluppa su quattro piani, il sole riesce a penetrare fino a raggiungere la piscina sportiva coperta, una vasca à la Botticelli dove l'acqua di mare pompata dalle profondità distanti del Mediterraneo brilla sotto un soffitto a forma di conchiglia. Un'altra piscina riservata ai trattamenti è caratterizzata da getti d'acqua incassati e da una vasta serie di congegni comandati a pulsante. Qualificati «terapisti marini» mettono in funzione questi dispositivi per rilassare muscoli contratti ed eliminare lo stress mentre supervisionano l'effettuazione di diverse terapie a base di acqua di mare. Oltre alle piscine, in un'area separata sono disponibili massoterapia (eseguita in cabine con vista sul mare azzurro), una palestra attrezzata con macchine all'avanguardia per tonificare e un hammam rivestito di marmo per sudare ed espellere le impurità in un ambiente assolutamente regale.

TRATTAMENTO ESCLUSIVO: TERAPIA A BASE DI ACQUA DI MARE

Monte Carlo é um nome que evoca imagens de *glamour* e opulência. O spa Les Thermes Marins de Monte-Carlo, mandado construir pelo Príncipe Rainier III sob a supervisão de um grande especialista em talassoterapia, faz jus a essa visão e muito mais. A fachada em cor-de-rosa claro tem como principal característica as altas janelas em arco que reflectem o Mediterrâneo a brilhar ao sabor do Sol quase todo o ano. Um terraço ao ar livre virado para o mar serve refeições deliciosas e saudáveis aos frequentadores do spa e reconforta os amantes do Sol. No interior do complexo com quatro andares, a piscina interior também é banhada pela luz do Sol, criando um lago para nadar *à la* Botticelli com água salgada bombeada das profundezas remotas do Mediterrâneo, que resplandece sob o tecto em forma de concha. Uma segunda piscina para tratamentos está equipada com jactos e outros dispositivos mecânicos. «Terapeutas marinhos» especialmente treinados põem estes aparelhos a funcionar para relaxar os músculos tensos e aliviar o stresse, supervisionando um amplo conjunto de terapias à base da água do mar. Além das piscinas, há uma zona seca com salas de massagem onde se pode desfrutar de vistas para o mar azul, um ginásio com os melhores equipamentos para tonificação e um *hammam* revestido a mármore para suarmos todas as impurezas num ambiente real.

TRATAMENTO ESPECIAL: TERAPIAS À BASE DA ÁGUA DO MAR

Les Thermes Marins de Monte-Carlo
2, avenue de Monte-Carlo
98000 Monte Carlo
Monaco

TEL +377 92164946
FAX +377 92164949
EMAIL resort@sbm.mc
WEBSITE www.montecarlospa.com

Sofitel Thalassa Vilalara

Acodado sobre un acantilado con vistas a una extensa playa, el balneario Sofitel Thalassa Vilalara toma su nombre de las encrespadas olas del Atlántico. *Thalassa* significa en griego 'mar'. Combinada con *theropia* ('tratamiento'), forma talasoterapia, la auténtica razón de ser del balneario. El enclave, que dispone de 122 *suites* y 8 apartamentos, está rodeado por un exuberante paisaje de mandarinos, lauroceresos y matas de lavanda y consigue integrar con discreción sus seis modernos edificios en el entorno. La preponderancia del agua se hace evidente en una serie de luminosas salas. El programa recomendado de seis días comienza con una consulta, en la que los terapeutas diseñan un programa con los tratamientos más apropiados, por lo general de inspiración marina. Para relajar los músculos existen varias piscinas exteriores de hidromasaje con agua salada. Para aliviar problemas de articulaciones y cuidar la circulación, las duchas crean una suave nube rica en sales minerales. Los tratamientos con algas son un magnífico tranquilizante natural muy indicado para las disfunciones del sueño. En el balneario, sin embargo, no disponen sólo de tratamientos marinos. Si lo que se desea es bienestar general, es posible asistir a clases de yoga y *tai chi* impartidas en la serenidad de un estudio dominado por un enorme terrario; en él crecen cactus exóticos y majestuosas palmeras. Y por supuesto, la inmaculada playa privada del balneario ofrece el mejor marco posible para disfrutar de la talasoterapia original: un reconfortante baño en el mar.

TRATAMIENTO CARACTERÍSTICO: TALASOTERAPIA

Ubicato in cima ad una scogliera che domina un'ampia spiaggia di sabbia bianca, il complesso del Sofitel Thalassa Vilalara (con 122 suite e 8 appartamenti) prende il nome dalle bianche creste spumeggianti dell'Atlantico. «Thalassa» in greco significa mare. Dalla fusione con il termine «theropia», che significa trattamento, abbiamo il termine talassoterapia, che è la *raison d'être* del centro benessere. In un paesaggio lussureggiante di mandarini, laurocerasi e siepi di lavanda, i moderni edifici bassi del complesso sono in perfetta armonia con l'ambiente. In una serie di sale molto luminose, l'acqua regna sovrana. Il programma raccomandato di sei giorni ha inizio con un consulto, durante il quale un terapista individua il ciclo di trattamenti più indicato per il singolo caso, tutti comunque ispirati al mare. Per rilassare i muscoli contratti, getti massaggianti emettono acqua salata in vasche spumeggianti all'aperto. Per alleviare dolori articolari e calmare vasi sanguigni delicati e infiammati, docce nebulizzanti diffondono una nebbiolina di acqua ricca di sali e minerali. Per curare i disturbi del sonno, bendaggi di alghe calmanti agiscono da tranquillanti naturali. Nonostante tutto, i trattamenti idroterapeutici non sono l'unica proposta del centro. Per il benessere generale sono disponibili corsi di yoga e tai chi tenuti nella tranquillità di un locale dominato da un terrario a tutta parete pieno di cactus esotici e palme rigogliose. E naturalmente la spiaggia privata del centro, con le sue acque cristalline, offre l'ambiente ideale in cui provare l'autentica talassoterapia – una bella nuotata corroborante nel mare incontaminato.

TRATTAMENTO ESCLUSIVO: TALASSOTERAPIA

Aninhado no topo de uma falésia com vista para uma vasta praia de areia branca, o Sofitel Thalassa Vilalara (de 122 suites e 8 apartamentos) vai buscar o seu nome às águas debruadas de branco do Atlântico. «Thalassa» é a palavra grega para designar mar. Combinada com «theropia», que significa tratamento, torna-se talassoterapia, a razão de ser do spa. Situado numa luxuriante paisagem dominada pelo aroma das tangerineiras, do loureiro-cereja e da alfazema, os edifícios modernos e baixos do complexo integram-se discretamente na paisagem. Numa série de salas luminosas, a água é rainha e senhora. O programa recomendado, com duração de seis dias, começa com uma consulta em que os terapeutas seleccionam um conjunto de tratamentos adequados, na sua maioria inspirados no mar. Para relaxar os músculos tensos, os jactos de massagem jorram água do mar em resplandecentes piscinas exteriores. Para aliviar as maleitas das articulações e suavizar veias delicadas, os chuveiros envolvem-nos em delicados salpicos ricos em sais e minerais. Para remediar as perturbações do sono, as relaxantes máscaras corporais à base de algas funcionam como tranquilizantes naturais. No entanto, a oferta deste complexo não se limita aos tratamentos à base de água. Para o bem-estar geral, há aulas de ioga e tai chi na serenidade de um estúdio dominado por um terrário a todo o comprimento da parede, cheio de cactos exóticos e exuberantes palmeiras. E, claro, a impecável praia privativa do spa proporciona o ambiente ideal para experimentar a forma original de talassoterapia: umas revigorantes braçadas no mar.

TRATAMENTO ESPECIAL: TALASSOTERAPIA

Sofitel Thalassa Vilalara
Praia das Gaivotas
Alporchinos-Porches
8400-450 Lagoa, Portugal

TEL: +351 282 320000
FAX: +351 282 320077
WEBSITE: www.thalassa.com
WEBSITE: www.sofitel.com

Sturebadet

En medio del ajetreo del centro de Estocolmo, el eclecticismo arquitectónico de Sturebadet refleja la multiculturalidad de sus planteamientos en cuanto a la salud. Construido en 1885 bajo la dirección del doctor Curman, fue restaurado fielmente un siglo después tras un incendio. Un busto del fundador custodia el acceso al actual balneario; la fachada se inspira en una visita que el buen doctor realizó a un *palazzo* renacentista veneciano, el Vendramian-Calergi. En el interior, los arcos moriscos conviven con columnatas italianizantes y el estilo de casita de cuentos nórdico en sorprendente armonía. Una de las plantas está ocupada por unos baños de estilo turco. En ellos, es posible disfrutar de una sauna finlandesa, relajarse entre las paredes de mármol de la sala de vapor y dejarse llevar en la piscina, en la que los cálidos colores de la Toscana dotan de vida el ambiente. Cualquiera de estas posibilidades es el broche perfecto para la *kur*, o tratamiento, de medio día que ofrece el balneario. Basado en las terapias tradicionales europeas, este auténtico placer combina el ejercicio con tratamientos de balneario: uso ilimitado de las instalaciones del gimnasio, exfoliación integral y un chapuzón en la piscina de relajación bajo la tenue luz de los focos cenitales. Y, por supuesto, un auténtico masaje sueco: 25 minutos de estimulación corporal típica de Estocolmo, o lo que es lo mismo, 25 minutos de exhaustivas presiones y caricias que eliminan por completo la tensión.

TRATAMIENTO CARACTERÍSTICO: LA KUR

Nel trambusto del centro di Stoccolma, l'eclettica miscela di stili architettonici dello Sturebadet si rispecchia anche nell'approccio multietnico al benessere. Fondato nel 1885 da un certo Dr. Curman, il centro fu poi fedelmente restaurato un secolo dopo a seguito di un incendio – un busto del fondatore è visibile ancora oggi nell'ingresso del nuovo centro. La visita che Curman fece a un palazzo del rinascimento veneziano, Vendramian-Calergi, ha ispirato la facciata. All'interno, archi moreschi si fondono con colonne italianizzate e panpepato nordico formando un insieme sorprendentemente armonico. Un piano è dedicato al bagno stile turco. Qui si può scegliere tra crogiolarsi nella sauna finlandese, sudare in una sala di vapori rivestita di marmo o immergersi nell'acqua gelida di una vasca in cui i colori della terra toscana riscaldano l'ambiente. Una visita all'una o all'altra potrebbe essere il modo ideale per concludere la *kur* di mezza giornata al centro benessere. Fedele alla tradizione delle cure europee, il centro offre una selezione di esercizi fisici e trattamenti termali: uso illimitato di macchine per il fitness nella palestra high-tech, trattamento corpo esfoliante, un tuffo nella piscina relax che riluce sotto il lucernario gelato. E naturalmente un autentico massaggio svedese – 25 minuti di manipolazioni e sfioramenti che sciolgono ogni tensione muscolare.

TRATTAMENTO ESCLUSIVO: LA KUR

Bem no centro da movimentada baixa de Estocolmo, a mistura ecléctica de estilos arquitectónicos do Sturebadet reflecte-se na abordagem multicultural ao bem-estar. Construído em 1885 sob a supervisão do dr. Curman, foi submetido a um cuidadoso restauro após um incêndio que o consumiu um século mais tarde, sendo a entrada do actual spa guardada por um busto do seu fundador. A visita do médico a um *palazzo* renascentista de Veneza, o Vendramian-Calergi, inspirou a fachada. No interior, arcos mouriscos combinam-se com colonatas de inspiração italiana e ornatos nórdicos numa fusão surpreendentemente harmoniosa. Um dos pisos é dedicado ao banho turco e aqui podemos entregar-nos ao calor de uma sauna finlandesa, destilar numa sala de vapor revestida a mármore ou descontrair no tanque de imersão, onde as cores terrosas da Toscana aquecem o ambiente. Uma visita a qualquer uma destas instalações poderá ser o final perfeito para uma «kur» com a duração de meio dia proposta pelo spa. Baseada nas curas europeias tradicionais, esta indulgência combina o exercício com tratamentos de spa: uso ilimitado do sofisticado equipamento de *fitness* do ginásio, uma esfoliação corporal e imersão na piscina de relaxamento iluminada pelas clarabóias foscas. E, claro, uma autêntica massagem sueca: 25 minutos da terapia corporal típica de Estocolmo, numa sucessão de técnicas de massagem que aniquilam qualquer tensão acumulada.

TRATAMENTO ESPECIAL: A KUR

Sturebadet
Sturegallerian 36
114 46 Stockholm
Sweden

TEL: +46 8 54501500
FAX: +46 8 54501510
EMAIL: info@sturebadet.se
WEBSITE: www.sturebadet.se

Victoria-Jungfrau
Grand Hotel & Spa

Acodado entre los pintorescos lagos de Thun y Brienz al pie de los Alpes en Interlaken (Suiza), el Victoria-Jungfrau Grand Hotel acoge en un marco idílico a visitantes en busca de la hospitalidad de la vieja Europa. El Victoria-Jungfrau ofrece a sus huéspedes una amplia gama de tratamientos, rituales y servicios restauradores en el lujoso balneario ESPA, donde uno puede practicar deporte, ponerse en forma y cuidar la estética y la salud. ESPA se ha inspirado en antiquísimos rituales revitalizadores para desarrollar tratamientos que combinan las antiguas prácticas y tradiciones orientales con las últimas innovaciones médicas de Occidente. Los ritos y prácticas tradicionales de India, Bali y Asia se cuentan entre los conceptos terapéuticos que funden técnicas globales y filosofías de bienestar de todo el mundo. El ritual característico de ESPA, un tratamiento corporal multicultural, comienza con un pediluvio ceremonial. A éste siguen una friega con sales y aceites que suaviza la piel y un tratamiento facial hidratante. El ritual continúa con un masaje de inspiración *shiatsu* y llega a su fin con un masaje de cabeza hindú que se centra en los puntos de energía vital de cabeza y cuello. Para aquellos huéspedes que deseen también una estimulación cultural, el Victoria-Jungfrau ofrece una amplia gama de actividades creativas, como *tai chi*, escalada, festivales de música y clases de cocina.

TRATAMIENTO CARACTERÍSTICO: RITUAL VICTORIA-VUNGFRAU

Situato tra i pittoreschi laghi di Thun e di Brienz, alle pendici delle Alpi a Interlaken, Svizzera, il Grand Hotel Victoria-Jungfrau accoglie visitatori che aspirano a godere degli effetti rigeneranti della tradizionale ospitalità europea in uno scenario idilliaco. Il Victoria-Jungfrau offre una gamma completa di servizi per la bellezza e la salute, di attività sportive e di cure benessere alla ESPA, il suo lussuoso centro termale, e dà ai suoi ospiti una vasta scelta di trattamenti, rituali e servizi di wellness. Ispirandosi ad antichi rituali di rigenerazione, l'ESPA ha sviluppato trattamenti che coniugano antiche pratiche e tradizioni orientali con innovazioni mediche occidentali d'avanguardia. In una concezione di trattamento che fonde tecniche e filosofie di benessere di tutto il mondo figurano anche cure tradizionali indiane, balinesi e asiatiche. Il trattamento multiculturale per il corpo, il Signature Ritual dell'ESPA, inizia con la pulizia cerimoniale dei piedi. Uno scrub ammorbidente al sale e agli oli essenziali per il corpo è il passo successivo, seguito da un trattamento viso idratante. Questo rituale onnicomprensivo continua con un massaggio dolce ispirato alle tecniche shiatsu e termina con un massaggio indiano al cuoio capelluto che si concentra su punti di energia vitale situati sul capo e sul collo. Per gli ospiti che desiderano anche stimoli culturali, il Victoria-Jungfrau offre anche una vasta scelta di attività creative, dal Tai Chi al mountain climbing, dai festival musicali alla scuola di cucina.

TRATTAMENTO ESCLUSIVO: VICTORIA-JUNGFRAU SIGNATURE RITUAL

Aninhado entre os pitorescos lagos de Thun e Brienz no sopé dos Alpes suíços em Interlaken, o Victoria-Jungfrau Grand Hotel dá as boas vindas aos visitantes que procuram os efeitos retemperadores da hospitalidade à antiga num cenário idílico. Aproveitando a completa gama de actividades de beleza, saúde, desporto e *fitness* do ESPA, o spa de luxo do Victoria-Jungfrau, este hotel coloca à disposição dos seus hóspedes uma série de tratamentos, rituais e serviços de bem-estar. Inspirado em antigos rituais revitalizantes, o ESPA desenvolveu tratamentos que combinam seculares práticas e tradições orientais com as inovações mais recentes da medicina ocidental. Rituais indianos, balineses e asiáticos, assim como práticas tradicionais contam-se entre os conceitos de tratamento que resultam da fusão de técnicas globais e filosofias de bem-estar de todo o mundo. O Ritual Exclusivo do ESPA, um tratamento corporal multicultural, começa com um cerimonial de lavagem dos pés. Segue-se uma esfoliação corporal suavizante com sais e óleos, complementada por um hidratante tratamento de rosto. Este ritual completo prossegue com uma libertadora massagem baseada no shiatsu e chega ao fim com uma massagem indiana na cabeça que se concentra nos pontos de energia vital do couro cabeludo e do pescoço. Para os hóspedes que também procuram estímulos de ordem cultural, o Victoria Jungfrau propõe um leque diversificado de actividades criativas, desde o Tai Chi ao alpinismo, sem esquecer os festivais de música ou as aulas de culinária.

TRATAMENTO ESPECIAL: RITUAL EXCLUSIVO VICTORIA-JUNGFRAU

Victoria-Jungfrau Grand Hotel & Spa
Höheweg 14
3800 Interlaken
Switzerland

TEL: +41 33 8282828
FAX: +41 33 8282880
EMAIL: interlaken@victoria-jungfrau.ch
WEBSITE: www.victoria-jungfrau.ch

Lenkerhof Alpine Resort

Ni tradicional ni moderno, el Lenkerhof Alpine Resort aporta nuevos aires al concepto de gran hotel. Situado en uno de los más hermosos valles de los Alpes suizos, el Lenkerhof acoge el balneario y centro de belleza 7sources, que debe su nombre a las siete fuentes de las que nace el río local, el Simme. Las magníficas características de este elegante santuario son garantía de relajación, belleza, salud y tonificación. El centro es fiel a la larga tradición europea de enfatizar los efectos restauradores de la sauna. De hecho, el balneario ofrece no una, sino siete formas distintas de provocar el sudor de sus huéspedes. La versión finlandesa lanza chorros de aire caliente y seco, mientras que la sauna bio arroja aire más fresco acompañado de luces de colores, y las saunas herbales y de aceites esenciales aportan nuevos matices al concepto de sauna. Las grutas sulfurosas y de hielo proporcionan un respiro después de tantos calores. Si las saunas no son lo suyo, puede decidirse por un micromasaje corporal en la Bañera de Cristal mientras escucha música y disfruta de una copa de champán. En la Bañera de Cristal se concentran todas las nuevas tecnologías, desde terapias sónicas a tratamientos de campo magnético, y en ella se eleva la experiencia del baño a niveles nunca antes conocidos.

TRATAMIENTO CARACTERÍSTICO: BAÑERA DE CRISTAL

A cavallo tra tradizione e modernità, il Lenkerhof Alpine Resort è un Grand Hotel di concezione totalmente innovativa. Situato in una delle più belle vallate delle Alpi Svizzere, il Lenkerhof ospita la «7sources beauty & spa», che prende il nome dalle sette sorgenti del fiume Simme. Le straordinarie strutture di questo elegante centro benessere sono concepite per promuovere relax, bellezza, benessere e fitness. In linea con la grande tradizione termale europea, pone l'accento soprattutto sull'azione rigenerante della sauna, tanto che il centro offre ai suoi ospiti non uno, ma ben sette modi diversi di ottenere il benefico e purificante sudore. La sauna alla finlandese utilizza aria caldissima e asciutta, la biosauna si serve di aria più fresca abbinata a luci colorate e a essenze d'erbe, mentre la sauna all'olio minerale conferisce un interessante elemento di novità all'esperienza tradizionale della sauna. E dopo tanta calura, si trova refrigerio nella grotta d'acqua solforosa e in quella con ghiaccio. Se però la sauna non è il vostro trattamento preferito, concedetevi piuttosto un micromassaggio su tutto il corpo, sorseggiando champagne nel Bagno Crystal al suono della musica in sottofondo. Grazie a tecnologie d'avanguardia in tutti i settori, da quello sonoro ai campi magnetici, il Bagno Crystal trasforma un semplice bagno in un'esperienza completamente nuova.

TRATTAMENTO ESCLUSIVO: BAGNO CRYSTAL

Não sendo tradicional nem moderno, o Lenkerhof Alpine Resort é uma lufada de ar fresco na tradição dos grandes hotéis. Situado num dos mais belos vales dos Alpes suíços, o Lenkerhof também alberga o 7sources beauty & spa, cujo nome evoca as sete nascentes do rio Simme. As magníficas instalações deste elegante santuário convidam ao relaxamento, à beleza, à saúde e à prática de *fitness*. Fiel à nobre tradição dos spas europeus, é dada especial atenção aos efeitos retemperadores das saunas. Na verdade, o spa proporciona sete formas diferentes para os hóspedes suarem a bom suar. Na versão finlandesa o ar é quente e seco, na bio sauna o ambiente é mais fresco e dominado por luzes coloridas, mas a verdadeira revolução surge nas saunas com extractos de plantas ou óleos essenciais em pedras quentes. As grutas sulfurosas e geladas proporcionam um resguardo para todo este calor. Contudo, quem não tem na sauna a sua primeira escolha pode sempre optar por uma micromassagem aplicada a todo o corpo, ao som da música e acompanhada com champanhe na Banheira de Cristal. Através do recurso às mais recentes tecnologias em todos os elementos, desde o som às terapias de campo magnético, a Banheira de Cristal eleva as sensações de um simples banho para um patamar completamente novo.

TRATAMENTO ESPECIAL: BANHEIRA DE CRISTAL

Lenkerhof Alpine Resort
Postfach 241
3775 Lenk im Simmental
Switzerland

TEL: +41 33 7363636
FAX: +41 33 7363637
EMAIL: welcome@lenkerhof.ch
WEBSITE: www.lenkerhof.ch

Therme Vals

Therme Vals da la impresión de ser la antítesis de todos los clichés arquitectónicos alpinos; sin embargo, la monumental construcción es parte integral del paisaje local. El arquitecto Peter Zumthor superpuso capas y más capas de cuarcita local (60.000 láminas en total) y consiguió crear un entorno casi museístico para el manantial subterráneo de agua mineral. Los bañistas acceden a éste a través de un túnel subterráneo, como si se adentrasen en las profundidades de la montaña. En el interior, los vestuarios abren paso a una terraza por encima de los baños de la planta baja, seis piscinas que cubren todas las temperaturas posibles, desde el frío ártico hasta el calor ecuatorial. La piscina de hielo registra unos gélidos 14 °C; los 41,5 °C de la piscina de fuego derriten el estrés. De entre las opciones intermedias destaca la piscina de flores, verdadero caldo floral repleto de fragantes pétalos que mantiene una temperatura constante de 32,5 °C. Más allá del húmedo y rocoso recinto de las piscinas, una serie de habitaciones de colores metálicos sirven de marco para una gran variedad de actividades reconstituyentes, que incluyen tratamientos de belleza, aromaterapia, talasoterapia y masajes. Un tratamiento en concreto resulta especialmente apropiado en este lugar: el masaje con piedras. Durante casi dos horas, un terapeuta frota guijarros calientes y untados en aceites aromáticos sobre el cuerpo; la tensión se desvanece paulatinamente, con cada pasada. Los propietarios aseguran que, en breve, las 140 habitaciones del hotel Therme Vals «estarán a la par con la distinción del balneario».

TRATAMIENTO CARACTERÍSTICO: MASAJE CON PIEDRAS

Il complesso delle Therme Vals sembra essere la vera antitesi al cliché architettonico alpino, eppure il monumentale edificio è perfettamente amalgamato con il paesaggio circostante. L'architetto Peter Zumthor ha personalizzato strato su strato di lastre di quarzite provenienti da cave locali per creare un luogo simile a un museo in cui effettuare la cura delle acque ricche di minerali che sgorgano da sorgenti sotterranee. Gli ospiti entrano attraverso un tunnel sotterraneo come se andassero ad esplorare le viscere della montagna. Da qui, gli spogliatoi immettono su un balcone che domina i bagni del piano principale – sei vasche in cui la temperatura aumenta gradualmente da polare a equatoriale. La vasca ghiacciata è veramente da brividi con i suoi 13,8° C, mentre la vasca del fuoco fa fondere ogni stress a 41,5° C. Tra l'una e l'altra si può scegliere di immergersi nella vasca dei fiori, mantenuta costantemente alla gradevole temperatura di 32,5° C. Sotto l'ambiente umido e rivestito di roccia dei bagni, sale tinteggiate in un colore grigio metallico sono il luogo in cui effettuare i trattamenti che comprendono trattamenti estetici, aromaterapia, talassoterapia e massaggi. Particolarmente idoneo per gli ambienti di quarzite è il trattamento esclusivo del centro – un massaggio con pietre. Per circa due ore, un terapista fa scivolare sul corpo ciottoli riscaldati immersi in un olio aromatico, eliminando in questo modo la tensione ad ogni passaggio. I proprietari promettono che l'albergo originale delle Terme Vals con 140 camere sarà presto «in grado di reggere il confronto con l'esclusività delle Terme Vals».

TRATTAMENTO ESCLUSIVO: MASSAGGIO CON PIETRE

Therme Vals parece ser uma verdadeira antítese dos clichés arquitectónicos alpinos, mas o monumental edifício enquadra-se perfeitamente na paisagem do local. O arquitecto Peter Zumthor aplicou camada após camada de lajes de quartzito das pedreiras locais (60.000 no total) para criar um ambiente semelhante a um museu para as águas ricas em minerais que brotam do subsolo. Os banhistas entram através de um túnel subterrâneo como se estivessem a perscrutar o coração da montanha. Aí, os balneários dão acesso a uma varanda com vista para os banhos do piso principal: seis piscinas com temperaturas que vão do frio árctico ao calor equatorial. Na piscina de gelo o mercúrio desce a uns arrepiantes 14°, enquanto que na piscina de fogo sobe até aos 41,5°, capazes de derreter qualquer stresse. Nas opções intermédias, encontra-se a piscina de flores, um caldo floral cheio de pétalas perfumadas e mantido à confortável temperatura constante de 32,5°. Por baixo do ambiente aquático e rochoso dos banhos, as salas prateadas são o local escolhido para uma série de curas, entre as quais se incluem aromaterapia, talassoterapia e massagens. Particularmente apropriada para a decoração em quartzito é o tratamento especial do spa: uma massagem com pedras. Durante quase duas horas, um terapeuta faz deslizar seixos embebidos em óleo aromático pelo nosso corpo, aliviando a tensão a cada toque. Os proprietários prometem que o hotel original de 140 quartos do Therme Vals irá, brevemente, «estar ao nível da distinção do Therme Vals».

TRATAMENTO ESPECIAL: MASSAGEM COM PEDRAS

Therme Vals
7132 Vals
Switzerland

TEL: +41 81 9268961
FAX: +41 81 9268000
EMAIL: info@therme-vals.ch
WEBSITE: www.therme-vals.ch

Çemberlitas Bath

Cuando los baños de Çemberlitas abrieron sus puertas por vez primera, Suleimán *el Magnífico* gobernaba todavía el Imperio Otomano. Hablamos del año 1584; sin embargo, la importancia del *hammam* para el entramado social de la ciudad se ha mantenido con el paso de los siglos. Mimar Sitan, el legendario arquitecto de la Mezquita Azul, diseñó este majestuoso edificio de mármol. Según dicta la costumbre, el interior está dividido en zonas de acceso exclusivo para hombres y mujeres. Nada más entrar, ropa y objetos personales desaparecen en las taquillas y son sustituidos por los enseres tradicionales del ritual turco del baño: *pestemals* (paños de algodón para el decoro), zapatillas, toallas, jabón y champú. Así equipados, los visitantes se adentran en una imponente sala de mármol cuya grandiosidad refleja la solemnidad casi religiosa del rito del aseo. Una plataforma de mármol caliente invita al reposo bajo las celdillas de luz del techo abovedado; es un calentamiento literal, previo a las vigorosas friegas. El proceso comienza con una minuciosa exfoliación. Tras cubrir el cuerpo con una sustancia jabonosa, el masajista emplea una gruesa manopla para eliminar con enérgicas fricciones las capas de piel muerta. A continuación, ofrecen un vigoroso masaje de la cabeza a los pies: los pases largos y firmes relajan por completo el cuerpo. Tras un aclarado con agua tibia, un masaje del cuero cabelludo con champú y una restauradora taza de té despabilan la mente y la preparan para reincorporarse al bullicio de Estambul.

TRATAMIENTO CARACTERÍSTICO: HAMMAM

Quando Çemberlitas Bath fu inauguarata per la prima volta, l'impero ottomano era governato dal sultano Solimano il Magnifico. Correva l'anno 1584 e l'hammam è tuttora vitale per il tessuto sociale della città come lo era allora. Mimar Sitan, il leggendario architetto della Moschea Blu, ha disegnato il maestoso edificio di marmo. Com'è consuetudine, gli interni sono divisi in sezioni separate per uomini e donne. All'ingresso, lasciati i vestiti e gli effetti personali in appositi armadietti, si riceve l'occorrente tradizionale del rituale turco per i bagni: pestemal (telo di cotone grezzo per coprire le pudenda), ciabattine, asciugamano, sapone e shampoo. A questo punto gli ospiti procedono verso un'imponente camera dalle pareti rivestite di marmo, la cui grandezza ricorda la solennità quasi religiosa del luogo della purificazione. Sotto un soffitto a cupola traforato da un reticolo di luce, una piattaforma riscaldata di marmo invita a distendersi – un riscaldamento vero e proprio per il vigoroso strofinamento che li attende. La routine ha inizio con un'esfoliazione completa. Dopo aver coperto il corpo con un miscuglio schiumoso, il terapista rimuove vigorosamente gli strati di cellule morte con una tela ruvida. Segue un energico massaggio dalla testa ai piedi – sfioramenti lunghi, profondi e manipolazione che lasciano il corpo totalmente rilassato. Dopo un risciacquo con acqua tiepida, uno shampoo con massaggio del cuoio capelluto e un bicchiere ristoratore di tè alla menta preparano la psiche al ritorno al trambusto di Istanbul.

TRATTAMENTO ESCLUSIVO: HAMMAM

Quando o Çemberlitas Bath foi inaugurado, o Sultão Suleyman, o Magnífico, reinava no Império Otomano. Corria o ano de 1584, mas o *hammam* continua, actualmente, a ser um elemento tão essencial ao tecido social da cidade como há muitos séculos. Mimar Sitan, o lendário arquitecto da Mesquita Azul, desenhou o majestoso edifício de mármore. Como é costume, o interior está dividido em secções separadas para homens e mulheres. Depois da entrada, as roupas e os pertences pessoais são arrumados em armários e substituídos pelas vestes do ritual de banho tradicional turco: *pestemals* (trajes em algodão cru por modéstia), chinelos, toalhas, sabonete e champô. Assim equipados, os visitantes avançam para uma imponente câmara revestida a mármore cuja magnificência reflecte a solenidade quase religiosa do ritual de purificação. Sob um tecto abobadado perfurado por favos de luz, uma plataforma de mármore aquecida convida ao repouso, num aquecimento literal para a rigorosa massagem. A rotina começa com uma esfoliação completa. Depois, o corpo é coberto com uma mistura saponífera e o/a massagista aplica uma vigorosa fricção com uma luva áspe-ra para remover camadas de pele morta. Segue-se uma energética massagem dos pés à cabeça com movimentos longos e profundos para deixar o corpo intensamente descontraído. Depois de uma lavagem com água morna, a aplicação do champô acompanhada de uma massagem do couro cabeludo e um retemperador copo de chá de menta voltam a despertar o espírito em preparação para a reentrada nos meandros de Istambul.

TRATAMENTO ESPECIAL: HAMMAM

Çemberlitas Bath
Verzirhan Cad. No. 8
34440 Çemberlitas
Istanbul, Turkey

TEL: +90 212 5227974
FAX: +90 212 5112535
EMAIL: info@hamam.com
WEBSITE: www.hamam.com

Chewton Glen Spa

Envuelta en hiedra y glicina, y a tiro de piedra del Canal de la Mancha, la decimonónica casa rural (de 58 habitaciones y *suites*) que identifica Chewton Glen es un magnífico ejemplo de tradición británica: metros y más metros de tela floreada, muebles antiguos y pulidos hasta relucir. El balneario adyacente, sin embargo, es otra historia. En él, el equipo de diseñadores creó un entorno completamente moderno. La florida decoración de la mansión y el original firmamento *trompe l'oeil* del techo de la piscina inspiraron un diseño próximo a la naturaleza. De las blancas paredes de ladrillo cuelgan bajorrelieves de flores y mariposas en tonos crudos. La luz velada dirige la atención hacia los tiestos de palmeras y los suntuosos ramos de flores. El color crema predomina en las salas de tratamiento, en las que se desarrollan los «días de mimos» del balneario. Las cremas y lociones Thalgo enriquecidas con algas son la base de las siete posibilidades presentadas al cliente, que incluyen tratamientos faciales, envolturas corporales y tratamientos estéticos, desde pedicura hasta maquillaje. Los días de asueto en el balneario permiten también utilizar la sauna, con aroma de cedro, y el *hammam* taraceado en las paredes, así como comer y beber en el bar y nadar bajo el falso cielo pintado.

TRATAMIENTO CARACTERÍSTICO: «DÍAS DE MIMOS»

Rivestita di edera e glicine e a un tiro di schioppo dalla Manica, la residenza di campagna del XIX sec., che dispone di 58 camere e suite e è il pezzo forte di Chewton Glen, è l'incarnazione della tradizione inglese: metri e metri di tessuto fantasia e mobili antichi lucidati quasi a specchio. Il vicino centro benessere, però, è un'altra storia. Qui l'équipe di architetti ha allestito un ambiente totalmente moderno. L'arredo con fiori della residenza e l'attuale trompe-l'oeil del soffitto colore del cielo della piscina coperta, hanno ispirato il tema orientato alla natura. Bassorilievi di fiori esotici e farfalle nei toni ecrù pallido pendono dalle pareti di mattoni bianchi. Un'illuminazione incassata attira lo sguardo verso graziosi vasi di palme e ricchi mazzi di fiori freschi. Le sfumature crema predominano nelle sale attigue riservate ai trattamenti, che sono il centro dell'attività del programma Pamper Days. Le proposte disponibili prevedono Thalgo, trattamenti viso, bendaggi per il corpo e altri trattamenti con lozioni e pozioni a base di alghe prodotti da quest'azienda francese. Sono disponibili Introducing Thalgo, Completely Thalgo e Totally Thalgo, e il Chewton Glen Ultimate Spa Day – massaggio completo e trattamento estetico dalla testa ai piedi, trucco compreso. Questi giorni dedicati a sé stessi comprendono anche l'uso della sauna al cedro e dell'hammam decorato con piastrelle di mosaico, pasti e consumazioni al bar, e nuotate sotto una riproduzione dipinta della volta celeste.

TRATTAMENTO ESCLUSIVO: PAMPER DAYS

Coberta de hera e glicínias, mas situada a dois passos do Canal da Mancha, a casa de campo do século XIX, com 58 quartos e suites, é o orgulho de Chewton Glen e simboliza a tradição britânica: metros e metros de tecidos florais e mobiliário antigo laboriosamente lustrado. Todavia, no spa adjacente, o caso muda de figura. Aqui, a equipa de arquitectos criou um ambiente bem moderno. A decoração florida da mansão e a pintura em *trompe l'oeil* do céu azul já existente no tecto da piscina interior deram o mote para o tema da natureza. Nas paredes de tijolo branco pendem baixos-relevos de flores exóticas e borboletas em tons claros e crus. Os candeeiros encastrados realçam as delicadas palmeiras em vasos e os generosos arranjos de flores naturais. As tonalidades de creme são as cores dominantes nas salas de tratamento ali mesmo ao lado, os centros de actividade do programa Pamper Days do spa. O menu de sete possibilidades baseia-se em produtos da Thalgo, com tratamentos de rosto, máscaras corporais e outros tratamentos com loções e produtos medicinais enriquecidos com algas, desta empresa francesa. Os hóspedes têm ao seu dispor o Introducing Thalgo, Completely Thalgo e Totally Thalgo, assim como o Chewton Glen Ultimate Spa Day, uma massagem de corpo inteiro e uma mudança de visual completa, desde a *pedicure* à maquilhagem. Nestes dias bem passados, está incluída a utilização da sauna com aroma de cedro e do *hammam* revestido a mosaico, alimentação e bebidas no bar, assim como a natação serena sob o falso firmamento pintado.

TRATAMENTO ESPECIAL: PAMPER DAYS

Chewton Glen Spa
Christchurch Road
New Milton, Hampshire, BH25 6QS
United Kingdom

TEL: +44 1425 275341
FAX: +44 1425 275310
EMAIL: reservations@chewtonglen.com
WEBSITE: www.chewtonglen.com

Harrogate
Turkish Baths & Health Spa

En el corazón mismo de Harrogate, agradable e histórica ciudad balneario en el norte de Inglaterra, las tradiciones oriental y occidental de tomar las aguas convergen en los baños turcos, inaugurados en 1897 y recientemente renovados. En el interior, la sobriedad victoriana de maderas oscuras y bruñidas convive con el exceso oriental: techos cubiertos de arabescos caprichosos, suelos multicolores de terrazo y mosaicos geométricos a lo largo de las paredes, todos meticulosamente restaurados. La oferta de tratamientos presenta asimismo lo mejor de ambos mundos. Reflexología, *reiki* japonés y masajes suecos son algunas de las posibilidades con las que soltar lastre; el masaje de cabeza de la India Oriental es un suave método de relajación en el que apenas se roza el cuero cabelludo, el rostro y el cuello con leves caricias de los dedos. Pero la verdadera razón de ser del balneario hay que buscarla en los baños turcos. Las dos horas y media del ritual del *hammam* comienzan con una vigorizante ducha. A continuación, los vapores de eucalipto en la sala de vapor liberan tensiones y relajan el cuerpo. Llega luego la hora de un baño en la piscina, decorada con plantas tropicales y llena de agua ártica. Para volver a entrar en calor, la excursión continúa a través de tres salas calientes, que van desde los 50 °C del *tepidarium* hasta los abrasadores 105 °C del *laconium*. Por último, y pese a su equívoco nombre, el *frigidarium* ofrece una transición suave de la tradición turca al mundo occidental.
TRATAMIENTO CARACTERÍSTICO: BAÑO TURCO

Nel cuore di Harrogate, un elegante e storico centro termale dell'Inghilterra settentrionale, gli approcci alla cura delle acque adottati nel mondo orientale e occidentale si fondono nel complesso del Turkish Baths – un edificio recentemente restaurato inaugurato per la prima volta nel 1897. All'interno, la sobrietà tipicamente vittoriana dell'arredo di legno scuro, riccamente lucidato, si abbina al gusto orientale per l'eccesso che si esprime in soffitti dipinti con fantasiosi arabeschi, pavimenti di terrazzo policromo e pareti rivestite di mosaici che formano disegni geometrici - tutti meticolosamente riparati e restaurati. La selezione di trattamenti offre anch'essa il meglio di questi due mondi. Riflessologia, reiki giapponese e massaggio svedese non sono che alcuni dei molti trattamenti disponibili per distendersi, mentre il massaggio della testa importato dall'India orientale rappresenta un approccio delicato al rilassamento sotto l'azione di mani che in punta di dita scivolano sulla testa, sul volto e sul collo. Tuttavia, è il bagno turco ad essere la vera *raison d'être* del centro benessere. Il rituale dell'hammam, che dura due ore e mezzo, inizia con una doccia corroborante. Poi si passa nella sala del vapore, dove i fumi all'essenza di eucalipto allentano la tensione rilassando il corpo. Da qui si procede alla vasca d'immersione tonificante, circondata da vasi di palme tropicali e riempita di acqua gelata. Si torna poi al caldo attraverso tre ambienti riscaldati in un crescente e stimolante shock termico che porta dai circa 50° C del Tepidarium agli oltre 105° C del Laconium. Infine, nonostante il nome possa indurre in errore, il Frigidarium consente un ritorno temperato dal bagno turco al mondo occidentale.
TRATTAMENTO ESCLUSIVO: BAGNO TURCO

No coração de Harrogate, uma gentil e histórica cidade termal no norte de Inglaterra, as tradições termais do oriente e do ocidente convergem no spa The Turkish Baths, um marco histórico recentemente renovado, cuja inauguração remonta a 1897. No interior, a sobriedade vitoriana das madeiras escuras e ricamente envernizadas contrasta com o excesso oriental dos tectos pintados com fantásticos arabescos, pavimentos em *terrazzo* com várias cores e as paredes revestidas a azulejo em padrões geométricos, os quais foram objecto de um meticuloso restauro. O menu de tratamentos também oferece o melhor de dois mundos. Reflexologia, reiki japonês e massagem sueca são apenas algumas das muitas suaves formas de descontracção. A delicada massagem na cabeça, típica da Índia Oriental, é mais uma forma de descontrair ao sabor de doces carícias no couro cabeludo, rosto e pescoço. Todavia, a razão de ser do spa são os banhos turcos. O ritual do *hammam*, com a duração de duas horas e meia, começa com um duche rápido. Em seguida, os vapores de eucalipto da sala de vapor aliviam a tensão e relaxam o corpo. Daí seguimos para o revigorante tanque de imersão, orlado com palmeiras tropicais em vasos e cheio de água gelada. Voltamos ao calor numa escaldante excursão pelas três salas quentes que vão desde os 50° do Tepidarium ao Laconium, onde as temperaturas disparam para os 105°. Para finalizar, espera-nos uma sala com o enganador nome de Frigidarium, onde a temperatura proporciona uma transição entre a tradição turca e o mundo ocidental.
TRATAMENTO ESPECIAL: BANHO TURCO

Harrogate Turkish Baths & Health Spa
Royal Baths Assembly Rooms
Crescent Road (Entrance via Parliament Street)
Harrogate HG1 2RR, United Kingdom

TEL: +44 1423 556746
FAX: +44 1423 556760
EMAIL: info@harrogate.gov.uk
WEBSITE: www.harrogate.co.uk/turkishbaths

North America

Willow Stream Spa
at the Fairmont Banff Springs

**Banff,

Un señorial castillo escocés inspiró el histórico Fairmont Banff Springs, cuya majestuosa ubicación en el corazón de las Montañas Rocosas canadienses constituye uno de sus principales atractivos. El hotel, de 770 habitaciones, abrió en 1888, impulsado por el visionario director general de la Canadian Pacific Railway, y está amueblado con réplicas originales de piezas procedentes de castillos y mansiones europeas. Los 3.250 m² del balneario de Willow Stream dominan una esplendorosa vista del cielo, las montañas y los valles. La instalación principal es un estanque mineral terapéutico de llamativo diseño y enriquecido con *kur* húngaro, dotado de un sistema de altavoces subacuáticos y rodeado de tres bañeras de masaje hidráulico en cascada (se recomienda un chapuzón de 15 minutos antes del tratamiento). Los visitantes disponen también de una piscina de agua salada, cubierta y climatizada, de 32 metros, y de otra piscina de natación exterior de 20 metros, así como de diversas saunas privadas, bañeras de hidromasaje, solarios y salones al calor de un hogar. Entre los tratamientos disponibles está el Ascenso Definitivo, de dos horas de duración, que comienza con una infusión de hierbas de las montañas y un pediluvio aromático y culmina en una exfoliación, un masaje y la aplicación de paños. La Rehidratación de las Rocosas dura una hora y es la manera perfecta de rejuvenecer tras un día en la ladera de las montañas: sobre la piel se aplica un compuesto de algas curativas, aloe vera y aceites esenciales.
TRATAMIENTO CARACTERÍSTICO: ASCENSO DEFINITIVO

Un castello baronale scozzese ha ispirato lo storico complesso del Fairmont Banff Springs, che ha nella maestosità della posizione, nel cuore delle Montagne Rocciose canadesi, una delle maggiori caratteristiche. Inaugurato nel 1888 dal direttore generale della compagnia ferroviaria Canadian Pacific Railway, l'albergo con 770 camere è arredato con mobili che sono la copia originale di pezzi provenienti da castelli e residenze europei. Il centro benessere, che si estende su una superficie di 3.250 metri quadrati, offre agli ospiti una vista assolutamente fantastica, che spazia tra cielo, monti e valli ondeggianti. Il fulcro del centro benessere è una piscina d'acqua minerale terapeutica, dalle forme sorprendenti, ricca di Kur, minerale termale ungherese, dotata di casse acustiche subacquee e circondata da tre vasche idromassaggio con cascate. Una piscina coperta di acqua di mare riscaldata lunga 32 metri e una piscina scoperta poco profonda lunga 20 metri sono a disposizione degli ospiti, che possono usufruire anche di sale di vapore, vasche idromassaggio, solarium e soggiorni privati con camino. I trattamenti comprendono l'Ultimate Ascent, una seduta di due ore, che comincia con una tazza di infuso di erbe di montagna e con un pediluvio aromatico tiepido prima di un trattamento esfoliante con spazzola a secco, massaggio e bendaggio. Il trattamento Rockies Rehydration è la soluzione ideale per recuperare le forze dopo una giornata trascorsa su e giù per i pendii: esso consiste in una seduta di un'ora in cui un impacco a base di alghe curative, aloe vera e oli essenziali è applicato sulla pelle.
TRATTAMENTO ESCLUSIVO: ULTIMATE ASCENT

O castelo de um barão escocês serviu de inspiração para o histórico Fairmont Banff Springs, cujo majestoso enquadramento – no seio das Montanhas Rochosas canadianas – é uma das suas maiores riquezas. Inaugurado em 1888 pelo visionário director-geral da Canadian Pacific Railway, o mobiliário do hotel de 770 quartos é constituído por réplicas originais de peças de casas senhoriais e castelos europeus. O spa Willow Stream, com 3250 metros quadrados, goza de uma soberba vista de céu, montanhas e vales serpenteantes. O centro das atenções consiste numa impressionante piscina terapêutica de água mineral, enriquecida com uma *kur* mineral termal húngara, dotada de um sistema de altifalantes subaquáticos e rodeada por três piscinas de massagens com quedas de água em cascata. (Recomenda-se uma imersão de 15 minutos antes dos tratamentos.) Estão, ainda, ao nosso dispor uma piscina interior de água salgada aquecida com 32 metros e uma piscina exterior com 20 metros, assim como banhos turcos privativos, banheiras de hidromassagem, solários naturais e salões com lareira. O menu de tratamentos inclui o Ultimate Ascent, com a duração de 120 minutos, que começa com uma chávena de chá de ervas da montanha e uma lavagem de pés aromatizada, seguindo-se uma esfoliação com escova seca, massagem e máscara corporal. Com uma hora de duração, o tratamento Rockies Rehydration é a forma ideal de rejuvenescer após um dia passado nas encostas: algas com propriedades terapêuticas são misturadas com aloé vera e óleos essenciais e aplicadas sobre a pele.
TRATAMENTO ESPECIAL: ULTIMATE ASCENT

Willow Stream Spa at the Fairmont Banff Springs
405 Spray Avenue
Banff, Alberta T1L 1J4
Canada

TEL: +1 403 7622211
FAX: +1 403 7625755
EMAIL: banffsprings@fairmont.com
WEBSITE: www.fairmont.com

King Pacific Lodge

Para quienes prefieren buscar su solaz no en la arena de la playa, sino en contacto con la naturaleza, pocos destinos hay mejores que el King Pacific Lodge en Princess Royal Island y sus 17 espaciosos alojamientos. Tras un día de pesca, excursiones y piragüismo en la maravillosa costa noroeste del Pacífico (o incluso después de un día de indolente lectura y contemplación de las nubes), el balneario de King Pacific Lodge constituye un verdadero placer. Las paredes de abeto, con un toque de madera mojada y tonos verdosos, confieren al balneario un aire a un tiempo marinero y montañoso. En la soledad de los bosques de la Columbia Británica está a disposición de los huéspedes un amplio abanico de tratamientos inspirados en el entorno, como la inmersión completa en fango de los páramos canadienses y en piedras calientes de Wolf Track, que comienza con un masaje sueco para despertar los sentidos y continúa con el paciente envuelto por completo en 67 piedras de basalto de la playa de Wolf Track situadas sobre puntos de tensión y *chakra*. El balneario dispone también de sauna, baños de vapor, piscina y *jacuzzi*, perfectos para reponerse de las extenuantes actividades que se ofrecen y que abarcan desde la pesca con mosca hasta las excursiones de avistamiento de osos. Para los amantes de la vida marina, este extraordinario hotel flotante situado en plena naturaleza ofrece a sus huéspedes la oportunidad de pasar el día en un centro de investigación de ballenas, así como asistir a la fascinante migración de los salmones.

TRATAMIENTO CARACTERÍSTICO: INMERSIÓN COMPLETA EN FANGO DE LOS PÁRAMOS CANADIENSES

Per coloro che si rilassano meglio stando a contatto con una natura aspra e selvaggia anziché sdraiati al sole su una spiaggia, poche destinazioni possono reggere il confronto con il complesso del King Pacific Lodge composto da 17 camere spaziose sulla Princess Royal Island. Dopo una giornata di pesca, escursioni a piedi o giri in kayak nelle gloriose regioni del Nordovest del Pacifico il centro benessere del King Pacific Lodge è un vero toccasana. Costruito in legno di abete con elementi realizzati con tronco alla deriva e toni verde bosco per le pareti, richiama alla mente dei visitatori il ricordo di mari e monti. Qui, nella quiete di quest'angolo incontaminato della British Columbia, sono disponibili una serie di trattamenti, tutti ispirati all'ambiente naturale, quali Canadian Moor Mud Body Wrap e Wolf Track Hot Stone Wrap, che inizia con un massaggio svedese per risvegliare i sensi e prosegue con un trattamento *cocoon*, nel quale 67 pietre di basalto raccolte sulla spiaggia Wolf Track sono collocate sui punti di tensione e sui chakra . Il centro benessere dispone anche di sauna, bagno di vapore, vasca di immersione e vasca idromassaggio – l'ideale per riprendersi dalle impegnative attività sportive che il complesso offre e che vanno dalla pesca con la mosca alle escursioni per ammirare lo «Spirit Bear», una specie particolare di orso bruno. Per i veri appassionati della fauna marina, un soggiorno in quest'esclusivo angolo di paradiso offre l'opportunità di trascorrere una giornata con gli studiosi di balene in un laboratorio specializzato nello studio delle orche oppure di vivere l'esperienza della corsa dei salmoni della British Columbia.

TRATTAMENTO ESCLUSIVO: CANADIAN MOOR MUD BODY WRAP

Para quem procura descontrair longe das praias, num lugar mais selvagem, há poucos destinos mais indicados do que o King Pacific Lodge na Princess Royal Island, com os seus 17 amplos alojamentos. Depois de um dia passado a pescar, a caminhar e a andar de caiaque na gloriosa região noroeste junto ao Pacífico, ou mesmo depois de um dia passado a fazer pouco mais do que ler e ver as nuvens passar, o spa do King Pacific Lodge é um autêntico regalo. Construído com madeira de abeto, com pormenores de madeira desgarrada e tonalidades de verde-musgo nas paredes, o spa evoca a terra e o mar. Aqui, na solidão da exuberante natureza selvagem da Colúmbia Británica, os tratamentos vão buscar inspiração à região envolvente e podemos optar pela Máscara Corporal de Lama dos Pântanos do Canadá ou pela Máscara Corporal com Pedras Quentes do Trilho dos Lobos, que começa com uma massagem sueca para despertar os sentidos, seguindo-se uma máscara corporal coberta com 67 pedras basálticas do trilho dos lobos colocadas em pontos de tensão e chakra. O spa também tem uma sauna, banho turco, tanque de imersão e jacuzzi, equipamentos perfeitos para descontrair das actividades vigorosas disponíveis no *lodge*, que vão desde a pesca à linha a excursões para observar os ursos. Para os verdadeiros amantes da vida marinha, este magnífico *lodge* proporciona aos seus hóspedes a oportunidade de passarem um dia com investigadores do comportamento das baleias, num laboratório de investigação de orcas ou assistir ao espectáculo do regresso dos salmões nos rios da Colúmbia Británica.

TRATAMIENTO ESPECIAL: MÁSCARA CORPORAL DE LAMA DOS PÂNTANOS DO CANADÁ

King Pacific Lodge
255 West 1st Street
North Vancouver, BC V7M 3G8
Canada

TEL +1 604 9875452
FAX +1 604 9875472
EMAIL info@kingpacificlodge.com
WEBSITE www.kingpacificlodge.com

Sanctuary on Camelback Mountain

La espiritualidad asiática se funde con el desierto de Arizona en este precioso balneario-oasis, antigua escuela de tenis fundada en los años sesenta. Las 24 nuevas casitas del hotel, decoradas con exquisito minimalismo, rodean una amplia piscina de rebosadero continuo; otras 74 casitas de estilo más tradicional ocupan ubicaciones más discretas en la falda de la montaña. El balneario abrió sus 1.100 m² de instalaciones en enero de 2002. El área de recepción semeja una catedral, con techos altísimos y un ventanal impresionante con vistas a la montaña. Once salas de tratamiento se abren a un patio interior que alberga un jardín de meditación y una piscina reflectante. Los tratamientos se adecuan a la filosofía oriental del balneario, e incluyen la exfoliación con coco de Sumatra (en el que se emplea coco fresco para eliminar las células muertas de la piel), y un masaje de pies tailandés (en el que se combina el uso de un rodillo de madera con la reflexología tradicional). La mayoría de tratamientos pueden llevarse a cabo en Sanctum, una suite doble especial que dispone de piscina propia, hogar y ducha exterior. Los huéspedes disponen, asimismo, de una piscina de más de 20 metros y de una piscina termal watsu, así como de un moderno gimnasio. Por la noche, el restaurante Elements ofrece un menú muy superior a lo habitual en la cocina de balneario, y el colindante Jade Bar constituye el centro de reunión habitual de la atractiva sociedad de la región. A la sombra del famoso monje en oración de la montaña, resulta apropiadamente sobrio.

TRATAMIENTO CARACTERÍSTICO: EXFOLIACIÓN CON COCO DE SUMATRA

Questo ex ranch dedicato al tennis, costruito negli anni sessanta, rappresenta un felice connubio tra la spiritualità asiatica e il deserto dell'Arizona. Le 24 nuove *casitas* di cui il complesso si compone, arredate con gusto minimalista, sorgono intorno all'ampia piscina con bordi a sfioro, mentre le 74 *casitas* più tradizionali sono nascoste nel fitto della vegetazione. Il centro benessere è stato inaugurato nel gennaio 2002 e si estende su una superficie di oltre 1.100 metri quadrati, distribuiti in aree coperte e all'aperto. La reception ricorda una cattedrale con i suoi soffitti altissimi e l'incredibile vista che si ammira attraverso una finestra che spazia letteralmente da cielo a terra. Undici sale per trattamenti si aprono su un cortile interno con angolo per la meditazione e piscina riflettente. In sintonia con la filosofia orientale che il centro benessere ha recepito, i trattamenti esclusivi comprendono Sumatra, un peeling in cui le cellule morte vengono asportate mediante cocco fresco, e il massaggio tailandese del piede, in cui si usa un tassello di legno insieme alla riflessologia tradizionale. La maggior parte dei trattamenti si effettuano nel Sanctum, una cabina riservata per due persone con una vasca di immersione, stufa e doccia esterna. Sono, inoltre, a disposizione degli ospiti una piscina poco profonda lunga circa 25 metri, una vasca riscaldata watsu e un centro fitness attrezzato con le tecnologie più all'avanguardia. La sera, il ristorante *Elements* propone un menù che è di gran lunga superiore allo standard medio della cucina dei centri benessere, e l'adiacente *Jade Bar* è un punto d'incontro anche per la gente del posto. All'ombra del famoso picco del *Praying Monk*, il monaco in preghiera, del Camelback l'effetto è di grande pace e serenità.

TRATTAMENTO ESCLUSIVO: ESFOLIAZIONE CON COCCO DI SUMATRA

A espiritualidade asiática encontra-se com o deserto do Arizona neste requintado oásis-*resort*, uma antiga academia de ténis que data dos anos 60. As 24 *casitas* novas do *resort*, decoradas com um esplendor minimalista, rodeiam a enorme piscina, enquanto que outras 74 *casitas* mais antigas e tradicionais ficam situadas em locais mais discretos na montanha. O spa de 1100 metros quadrados, interior e exterior, abriu em Janeiro de 2002. A área da recepção faz lembrar uma catedral com os tectos altíssimos e uma deslumbrante janela a toda a altura que revela vistas de montanha. Onze salas de tratamento confluem num pátio interior com jardim de meditação e piscina de reflexão. Fiel à filosofia oriental do spa, os tratamentos especiais incluem a esfoliação de coco de Sumatra (em que é utilizado coco fresco para remover as células de pele morta) e a massagem tailandesa para os pés (em que é utilizado um espigão de madeira com a reflexologia tradicional). A maioria dos tratamentos pode realizar-se no Sanctum, uma suite de tratamento privativa para duas pessoas dotada de tanque de imersão, braseiro e chuveiro exterior. Existe ainda uma piscina de 23 metros, uma piscina *watsu* aquecida e um sofisticado centro de *fitness*. À noite, o restaurante Elements serve refeições muito superiores à tradicional culinária de spa e o Jade Bar, mesmo ao lado, recebe uma multidão de gente bonita da região. À sombra do famoso Monge em Prece de Camelback, o efeito é convenientemente sereno.

TRATAMENTO ESPECIAL: ESFOLIAÇÃO DE COCO DE SUMATRA

Sanctuary on Camelback Mountain
5700 East McDonald Drive
Paradise Valley, AZ 85253
United States

TEL: +1 480 9482100
FAX: +1 480 4837314
EMAIL: info@sanctuaryaz.com
WEBSITE: www.sanctuaryaz.com

Calistoga Ranch

Calistoga, en el californiano valle de Napa, es famosa por sus aguas y sus fangos. Es más, esta diminuta población se ha granjeado una magnífica reputación con sus creativas combinaciones de ambos elementos, que pone al servicio de la salud y el bienestar de sus visitantes. Los pequeños balnearios y hoteles que proporcionaban dichos tratamientos carecían por lo general de grandes lujos... hasta que apareció el Calistoga Ranch. Ubicado en las 63 hectáreas de un cañón de frondosos robles, el Calistoga Ranch dispone de 46 lujosas habitaciones esparcidas por un complejo arquitectónico del más puro estilo californiano. El balneario, que lleva por nombre The Bathhouse, se encuentra en el bosquecillo que se alza sobre el cañón y cuenta con una piscina de aguas curativas y exquisitas salas de tratamiento, cada una de las cuales dispone de una ducha y una bañera exteriores. Los tratamientos aprovechan al máximo el famoso fango local; el baño de fangos Calistoga Ranch, por ejemplo, combina el efecto desintoxicante del fango con las propiedades analgésicas del eucalipto. El vino del valle de Napa, famoso en el mundo entero, está también presente en tratamientos de exfoliación, entre otros, pero el visitante cometería una grave negligencia si no probase las uvas según el método tradicional, en alguna de las miles de bodegas existentes en los alrededores del balneario; o, para mayor comodidad, en la terraza misma del restaurante Lakehouse del complejo.

TRATAMIENTO CARACTERÍSTICO: BAÑOS DE FANGOS CALISTOGA RANCH

La minuscola cittadina californiana di Calistoga, nella Napa Valley, è famosa per i suoi fanghi e le sue acque, e si è creata una reputazione proprio ideando combinazioni creative di tali due elementi al servizio della salute e del benessere dei suoi visitatori. In passato, l'unica pecca era che i piccoli hotel e i centri termali che prestavano questi trattamenti erano un po' spartani – ma tutto è cambiato con l'avvento del Calistoga Ranch. Nel cuore di un appezzamento di 63 ettari in un canyon fittamente ricoperto di querce, il Calistoga Ranch offre ai suoi ospiti 46 lussuose lodge e un'architettura squisitamente californiana. Annidato tra i boschi in cima al canyon, il suo centro termale, la Bathhouse, è dotato di una grande piscina di acque termali e di stanze per i trattamenti eleganti e attrezzatissime, ciascuna delle quali dispone anche di una doccia e di una vasca all'aperto. Alle cure con le acque si affiancano i famosi fanghi locali: per esempio la specialità del centro, il Calistoga Ranch Mud Wrap, coniuga le virtù disintossicanti del fango con quelle calmanti e analgesiche dell'eucalipto. Anche i vini della Napa Valley, famosi in tutto il mondo, trovano uno spazio tra i servizi esclusivi del centro, come il trattamento esfoliante Vineyard Crush. Tuttavia, sarebbe un vero peccato rinunciare a degustare i frutti della vite nel modo più tradizionale, presso le migliaia di produttori vitivinicoli che si trovano nel raggio di 20 miglia dal resort – oppure, ancor più comodamente, sulla veranda del ristorante del Ranch, il Lakehouse.

TRATTAMENTO ESCLUSIVO: CALISTOGA RANCH MUD WRAP

Calistoga, na região californiana de Napa Valley, é famosa pelas suas lamas e águas. Com efeito, foram precisamente as criativas combinações destes dois elementos em prol da saúde e bem-estar dos visitantes que deram fama à minúscula localidade. Os pequenos hotéis e spas que ofereciam estes tratamentos costumavam ser bastante simples, mas tudo isso mudou com a abertura do Calistoga Ranch. Situado num desfiladeiro de 63 hectares coberto de carvalhos, o Calistoga Ranch tem 46 luxuosas choupanas e uma linha arquitectónica de inspiração californiana. O spa, denominado Bathhouse, está implantado num bosque no topo do desfiladeiro, dispondo de um Tanque de Imersão de Águas Terapêuticas e de salas de tratamento magnificamente decoradas, todas elas equipadas com chuveiro exterior e tanque de imersão. Os tratamentos são enriquecidos com a famosa lama da região e a Máscara Corporal de Lama de Calistoga Ranch, o tratamento especial, é disso um bom exemplo, combinando os efeitos desintoxicantes da lama com o vigor tranquilizante do eucalipto. O famoso vinho de Napa Valley também marca presença em especialidades do spa, como a esfoliação Vineyard Crush, mas seria imperdoável os visitantes não aproveitarem a oportunidade para provar variantes mais convencionais deste néctar nos milhares de adegas espalhadas em redor da propriedade, todas elas a menos de 30 quilómetros de distância. Outra alternativa, muito mais conveniente, é prová-las na varanda do restaurante do *resort*, o Lakehouse.

TRATAMENTO ESPECIAL: MÁSCARA CORPORAL DE LAMA DE CALISTOGA RANCH

Calistoga Ranch
580 Lommel Road
Calistoga, CA 94515
United States

TEL: +1 707 2542820
FAX: +1 707 2542018
EMAIL: nchambers@calistogaranch.com
WEBSITE: www.calistogaranch.com

Sagewater Spa

El balneario Sagewater Spa es un oasis minimalista en el desierto californiano que debe su segunda vida a sus propietarios, Rhoni Epstein y Cristina Pestana. Entre ambos eliminaron los excesos de un motel típico de los años cincuenta y crearon en su lugar un remanso zen. Desapareció la moqueta de nailon marrón y una lijadora lustró los suelos de cemento, que hoy destellan en suaves tonos verdosos. Se conservó la piscina central; los siete apartamentos que la rodean fueron redecorados en un estilo moderno, blanco sobre blanco. Estas unidades independientes, que tienen incluso una cocina completa, se convierten en balnearios personales tan pronto como los terapeutas y esteticistas llaman a la puerta. Los huéspedes tienen a su disposición un servicio de habitaciones que incluye todo tipo de masajes, tratamientos con piedras calientes, aromaterapia, envolturas integrales, tratamientos cutáneos, manicura y pedicura. Pero la verdadera razón de ser de Sagewater hay que buscarla en su piscina mineral. Los sustratos del desierto aportan un verdadero cóctel de minerales curativos al agua, y la termodinámica subterránea la calienta hasta alcanzar los 74 °C. Esta temperatura se reduce hasta unos relajantes 40 °C en la zona de baño, mientras que en la zona de nado se queda en unos muy agradables 32 °C, que alivian el dolor de las articulaciones y dejan la piel sedosa al tacto. Un suave aroma a salvia impregna el paisaje circundante, las palmeras ondeantes, las colinas color café y las montañas azuladas; una ensoñación en el desierto bañada por la luz del sol californiana.

TRATAMIENTO CARACTERÍSTICO: MANANTIAL DE AGUA MEDICINAL

Un'oasi minimalista nel deserto californiano: il complesso del Sagewater Spa è stato completamente ristrutturato dai proprietari Rhoni Epstein e Cristina Pestana. Essi hanno scelto, infatti, di eliminare ogni traccia del suo passato di vecchio motel degli anni cinquanta, creando un rifugio zen. La piscina centrale è rimasta; i sette bilocali sono stati ristrutturati e ora colpiscono per il loro modernismo bianco su bianco. Queste unità indipendenti, complete di cucina perfettamente attrezzata, diventano dei centri benessere privati non appena i terapisti e le estetiste suonano alla porta. Gli ospiti possono scegliere il servizio in camera che include massaggi, trattamenti con pietre riscaldate, aromaterapia, bendaggi per il corpo, trattamenti per la pelle, manicure e pedicure. Tuttavia, la ragione d'essere del complesso è la piscina alimentata da acqua sorgiva. I substrati che compongono il deserto impregnano l'acqua di un cocktail di sali minerali dalle proprietà curative, mentre le reazioni termodinamiche sotterranee la riscaldano all'elevatissima temperatura di quasi 74° C. Nella zona riservata ai bagni, l'acqua è raffreddata ad una temperatura di 40° C, toccasana contro ogni stress, mentre nell'area riservata al nuoto alla più fresca temperatura di 32° C; è un sollievo per articolazioni doloranti e lascia la pelle liscia come la seta. Il paesaggio circostante, pervaso dal profumo di salvia, su cui spiccano le palme ondeggianti, le colline color caffè e le montagne verde malva, alimenta lo spirito – un sogno ad occhi aperti nel deserto inondato dal sole della California.

TRATTAMENTO ESCLUSIVO: ACQUA SORGIVA CON PROPRIETÀ CURATIVE

Um oásis minimalista no deserto da Califórnia, o Sagewater Spa despertou para uma segunda vida com os proprietários Rhoni Epstein e Cristina Pestana. O casal retirou ao antiquado motel dos anos 50 todos os excessos da época, para criar um abrigo Zen. Desapareceu a alcatifa de nylon castanho, abrindo caminho à afagadora para polir o chão de cimento, que agora brilha num tom claro de verde-hortelã. A piscina ao centro ficou intacta, mas os sete apartamentos em volta dela foram completamente renovados com um modernismo dominado pelo branco. Estas unidades independentes transformam-se em spas privativos, pois as esteticistas e terapeutas fazem tratamentos ao domicílio. Os hóspedes têm à sua disposição um menu do serviço de quartos que inclui uma gama completa de técnicas de massagem, tratamentos com pedras quentes, aromaterapia, máscaras corporais, tratamentos de pele, *manicures* e *pedicures*. Mas a piscina alimentada com água de nascente é a verdadeira razão de ser do Sagewater. Os substratos do deserto imbuem a água de um cocktail de minerais com propriedades curativas e a termodinâmica subterrânea encarrega-se de a aquecer a uns escaldantes 74°. A água, arrefecida para 40° capazes de derreter qualquer stresse na secção de imersão e para uns confortáveis 32° na zona de natação, alivia articulações doridas e deixa a pele suave como seda. A paisagem circundante, perfumada com o aroma da salva, dominada por palmeiras ondulantes, colinas cor de café e montanhas cor de malva, nutre o espírito: uma fantasia no deserto à flor da água sob o sol da Califórnia.

TRATAMENTO ESPECIAL: ÁGUA DE NASCENTE COM PROPRIEDADES TERAPÊUTICAS

Sagewater Spa
12697 Eliseo Road
Desert Hot Springs, CA 92240
United States

TEL: +1 760 2511668
FAX: +1 760 2511684
EMAIL: sagewater.spa@verizon.net
WEBSITE: www.sagewaterspa.com

The Golden Door

El famoso balneario Golden Door, de 50 habitaciones, funciona desde 1958, y su recientemente ampliado programa ofrece semanas especiales para hombres y estudiantes. El balneario centra buena parte de sus esfuerzos en conservar el hermoso entorno rural y en mantener la belleza de la propiedad. En el Golden Door se sienten especialmente orgullosos de los recursos naturales del balneario, así como de las maravillas creadas por la mano del hombre y expuestas en su valiosísima colección de arte y antigüedades. El cuidado en los detalles se hace evidente en cualquier rincón del Golden Door: incluso la puerta de entrada al balneario está recubierta de joyas. Especialmente impresionantes resultan los faroles antiguos que se encuentran mientras se explora el edificio. El balneario aprovecha su recóndita ubicación en el sur de California para ofrecer a sus huéspedes un amplio espacio de relax y rejuvenecimiento. El complejo dispone, además, de unos baños espectaculares, con una piscina terapéutica en forma de hélice y salas de tratamiento privadas. El Golden Door cuenta con una línea propia de productos para el cuidado de la piel que pueden adquirirse en todo el mundo. El tratamiento especial del balneario comienza con una exfoliación a base de piña y continúa con la hidratación del rostro con esencia de naranja. Como colofón, el Golden C: se aplica una mascarilla oxigenante y un tratamiento con serums ricos en vitamina C que mejoran la circulación.

TRATAMIENTO CARACTERÍSTICO: EXFOLIACIÓN A BASE DE PIÑA / TRATAMIENTO CON SERUMS GOLDEN C

Il famoso complesso del Golden Door Spa, che dispone di 50 camere, è stato inaugurato nel 1958 e la sua attività è stata recentemente ampliata con l'offerta periodica di settimane per uomini e settimane coeducative. Preservare il bellissimo ambiente circostante e la bellezza della struttura sono priorità su cui il centro benessere punta ogni risorsa. Il Golden Door è fiero sia del suo patrimonio naturale fatto di camelie e di fucsie, sia dei pezzi pregiati, frutto dell'ingegno umano, che costituiscono la collezione di opere d'arte e pezzi d'antiquariato, che valgono milioni di dollari. Quest'attenzione caratterizza ogni angolo del Golden Door – anche la porta d'ingresso del centro benessere è tempestata di gemme preziose. Colpiscono in particolare le lanterne antiche, pezzi rari e pregiati che gli ospiti possono ammirare mentre passeggiano all'interno della proprietà. La posizione isolata in questa regione della California meridionale consente al complesso di offrire ai propri ospiti l'opportunità di rilassarsi e rinvigorirsi. Il Dragon Tree Gym e il Beauty Court dispongono di due piscine, campi da tennis e un percorso privato per escursioni a piedi lungo i pendii. Il centro benessere dispone, altresì, di una fantastica area per i bagni con un'esclusiva vasca a forma di ventaglio e cabine private per bendaggi e trattamenti esfolianti. Il Golden Door ha la sua linea di prodotti per la pelle, che sono in vendita presso il centro e in tutto il mondo. Il trattamento esclusivo, il cosiddetto Pineapple Scrub/Golden C Serum Treatment, è un trattamento viso che ha inizio con un peeling all'ananas, seguito poi da un trattamento rinfrescante a base di essenza d'arancia. Il trattamento si conclude con una maschera all'ossigeno e alla vitamina C che migliora la circolazione.

TRATTAMENTO ESCLUSIVO: PINEAPPLE SCRUB / GOLDEN C SERUM TREATMENT

O famoso Golden Door Spa, com 50 quartos, tem as portas abertas desde 1958 e, recentemente, foi objecto de uma ampliação para incluir semanas para homens e semanas mistas. São visíveis os esforços do spa para conservar os belos espaços circundantes. O Golden Door tem particular orgulho nas características naturais do spa, como as coloridas camélias e os brincos-de-princesa que crescem na propriedade, e nos magníficos adornos pertencentes à milionária colecção de obras de arte e antiguidades do spa. Esta atenção estende-se a todas as partes do Golden Door e até o portão da entrada do spa está coberto de jóias. Especialmente impressionantes são as lanternas antigas com que os hóspedes se deparam ao explorarem a propriedade. O Golden Door tira partido da sua localização discreta na Califórnia do Sul para proporcionar aos hóspedes um amplo espaço para relaxarem. O Dragon Tree Gym e o Beauty Court estão equipados com duas piscinas, campos de ténis e uma colina privada para caminhadas. O spa conta ainda com um impressionante edifício de banhos com uma piscina em forma de leque e salas privativas para máscaras corporais e esfoliações. O Golden Door tem a sua própria de linha de produtos de tratamento da pele, que está disponível no spa e que é vendida para todo o mundo. O tratamento especial do spa, Pineapple Scrub/Golden C Serum Treatment, é um tratamento facial que começa com uma esfoliação à base de ananás e, em seguida, hidrata o rosto com essência de laranja. O tratamento termina com uma máscara facial de oxigénio e um tratamento de soro *golden C* que melhora a circulação.

TRATAMENTO ESPECIAL: PINEAPPLE SCRUB/GOLDEN C SERUM TREATMENT

The Golden Door
PO Box 463077
Escondido, CA 92046
United States

TEL: +1 760 7445007
FAX: +1 760 4712393
EMAIL: gdres@adnc.com
WEBSITE: www.goldendoor.com

Hotel Healdsburg

El Hotel Healdsburg es un acogedor refugio minimalista situado en el corazón mismo de tres de las más apreciadas denominaciones de origen vinícolas del mundo: Dry Creek Valley, Russian River Valley y Alexander Valley. La degustación de un Zinfandel o un Chardonnay excelente frente al resplandor del hogar es parte irrenunciable de la estancia en el hotel, como también lo es el disfrute de la cocina de temporada que Charlie Palmer ofrece en su restaurante Dry Creek Kitchen. Las 55 sofisticadas habitaciones han sido cuidadas con todo detalle: sábanas de Frette, edredones de plumón, lujosas bañeras y alfombras tibetanas. El balneario ofrece tratamientos regenerativos integrales, como la Experiencia Healdsburg, entre cuyas opciones se encuentran un masaje corporal hidratante seguido de una envoltura integral humidificante; una suave exfoliación en seco tras la cual se envuelve el cuerpo en algas marinas, a lo que sigue una inmersión en la bañera y un masaje integral, y un masaje para dos con aceite de pasión seguido de un suntuoso baño caliente y culminado con una copa de espumoso y una selección de trufas de chocolate. Sobre el rostro, el cuerpo, los pies y las manos se aplican productos naturales, como aceite de oliva, té verde y limón. El área de Healdsburg invita, por supuesto, a la cata de vinos, pero también a muchas otras actividades, como vuelo aerostático, excursionismo o golf.

TRATAMIENTO CARACTERÍSTICO: EXPERIENCIA HEALDSBURG

L'Hotel Healdsburg è un invitante complesso minimalista situato nel cuore di tre delle zone di produzione di alcuni tra i vini più famosi del mondo: Dry Creek Valley, Russian River Valley e Alexander Valley. Sorseggiare un bicchiere di ottimo Zinfandel o Chardonnay alla luce e al tepore di uno degli scoppiettanti camini dell'albergo è un'esperienza sublime così come degustare le specialità stagionali del Dry Creek Kitchen di Charlie Palmer. Nelle 55 sofisticate camere degli ospiti, la cura per il minimo dettaglio è imperativa: biancheria di Frette, duvet di piume d'oca, sontuose vasche incassate e tappeti tibetani. Nel centro benessere ben attrezzato, trattamenti rigeneranti per tutto il corpo contribuiscono a far vivere agli ospiti la vera «Healdsburg Experience»: sono disponibili, tra gli altri, *drench*, un massaggio idratante seguito da un bendaggio per il corpo ricco di sostanze emollienti; *purify*, un peeling delicato eseguito con una spazzola morbida con bendaggio a base di alghe, immersione in vasca e massaggio totale; e infine *romance*, un massaggio per due eseguito con olio della passione, cui segue un libidinoso bagno caldo. Le coccole culminano con un bicchiere di spumante e una scelta di appetitosi cioccolatini. Ingredienti naturali quali olio d'oliva, tè verde e limone sono la base dei trattamenti viso, corpo, mani e piedi. Tra le attività disponibili all'interno del complesso non può mancare naturalmente la degustazione di vini, ma si possono provare anche brevi escursioni in mongolfiera, escursioni a piedi e il golf.

TRATTAMENTO ESCLUSIVO: HEALDSBURG EXPERIENCE

O Hotel Healdsburg é um acolhedor retiro minimalista localizado no coração de três das melhores regiões vinícolas do mundo: Dry Creek Valley, Russian River Valley e Alexander Valley. Saborear um perfeito copo de Zinfandel ou Chardonnay à luz e no calor da pujante lareira do hotel é uma experiência que nada fica a dever a uma refeição de gastronomia sazonal servida no Charlie Palmer's Dry Creek Kitchen. Nos 55 sofisticados quartos de hóspedes, a atenção vai até ao mais ínfimo pormenor: lençóis Frette, almofadas de penas de ganso, luxuosas banheiras de imersão e tapetes tibetanos. No elegante spa, os tratamentos corporais de regeneração total proporcionam a «Healdsburg Experience» com as seguintes opções: «drench», uma hidratante massagem corporal seguida de uma máscara corporal igualmente hidratante; «purify», uma delicada escovagem seca seguida de uma máscara corporal com algas marinhas, uma agradável imersão na banheira e uma massagem aplicada a todo o corpo; e «romance», um óleo de paixão para duas pessoas seguido de uma luxuriante imersão numa banheira aquecida e complementada com um copo de espumante e uma selecção de trufas de chocolate. Os tratamentos de rosto, corpo, pés e mãos incorporam ingredientes naturais como azeite, chá verde e limão. Ao nosso dispor na região de Healdsburg estão, naturalmente, as provas de vinhos, mas também actividades tão diversas como passeios em balão de ar quente, caminhadas ou golfe.

TRATAMENTO ESPECIAL: HEALDSBURG EXPERIENCE

Hotel Healdsburg
25 Matheson Street
Healdsburg, CA 95448
United States

TEL: +1 707 4312800
FAX: +1 707 4310414
EMAIL: info@hotelhealdsburg.com
WEBSITE: www.hotelhealdsburg.com

The Carneros Inn

En el corazón mismo de la región vinícola de Carneros, en el valle de Napa, se encuentra Carneros Inn. La sencillez de las 86 cabañas ocultas entre los viñedos de esta pintoresca región no permite adivinar a primera vista su lujoso interior. Los jardines privados climatizados, los suntuosos juegos de cama, los televisores de pantalla plana, las bañeras, las duchas exteriores y las chimeneas las convierten en el refugio ideal. El Hilltop Dining Room, acodado sobre una colina con magníficas vistas al valle, muestra su vocación de cocina francesa en platos como las costillitas doradas al Pinot Noir y el rape relleno de langosta. A las puertas del restaurante se extiende la impresionante piscina con bañera caliente de rebosadero continuo y el inmaculado balneario del hotel. Los terrenos que lo rodean han inspirado los tratamientos, y así se emplean en ellos plantas autóctonas y productos típicos de la región de Carneros: aceitunas, mostaza, semillas de uva, mantequilla de cabra...; esta variedad se refleja en el nombre de los tratamientos: Las cosechas, Los minerales, Las bodegas, Las granjas y Las cañadas de Carneros. El masaje con piedras y gemas curativas característico del balneario ofrece un nutritivo masaje integral con aceites aromaterapéuticos cargados de energía solar y suaves piedras volcánicas. El tratamiento culmina con la distribución de siete piedras semipreciosas sobre otros tantos puntos *chakra* del cuerpo para equilibrar cuerpo, mente y espíritu.

TRATAMIENTO CARACTERÍSTICO: MASAJE CON PIEDRAS Y GEMAS CURATIVAS DE CARNEROS

Il complesso The Carneros Inn è ubicato nel cuore dell'omonima regione vinicola di Napa Valley. Ottantasei cottage semplici nascosti tra i vigneti di questa rigogliosa terra tradiscono, a prima vista, il lusso che, invece, alberga all'interno. Giardini privati riscaldati, biancheria da favola, TV a schermo piatto, vasche incassate, docce esterne e camini: tutto contribuisce a creare l'idea del rifugio da cui non si vorrebbe mai venire via. In cima alla collina, con vista magnifica sulla Napa Valley, si trova il ristorante Hilltop Dining Room, dove si possono gustare specialità ispirate alla cucina francese come spuntature brasate al Pinot Nero e aragoste ripiene di filetto di squatina. Appena fuori del ristorante si aprono la fantastica piscina con bordi a sfioro e la vasca calda, oltre al centro benessere del complesso. I trattamenti disponibili traggono ispirazione dal territorio circostante. I servizi sfruttano le piante indigene che crescono nella regione e gli ingredienti naturali di cui è ricco il Carneros – dalle olive ai semi di senape, dai semi d'uva al burro di capra – e sono denominati di conseguenza: The Harvests (i raccolti), The Minerals (i minerali), The Cellars (la cantina), The Farms (la fattoria) e The Creeks (i ruscelli) dal Carneros. Il trattamento esclusivo del centro benessere è Healing Gem and Stone Massage (massaggio con gemme e pietre curative), un massaggio totale nutriente con oli di aromaterapia riscaldati con energia solare e pietre vulcaniche levigate. In chiusura, sette pietre semipreziose vengono posizionate sui punti chakra essenziali lungo l'asse centrale del corpo, contribuendo in tal modo al raggiungimento di uno stato di equilibrio di corpo, mente e spirito.

TRATTAMENTO ESCLUSIVO: HEALING GEM AND STONE MASSAGE DI CARNEROS

No coração da região vinícola de Carneros em Napa Valley ergue-se o Carneros Inn. As 86 casas de madeira simples distribuídas pelas vinhas nesta região soberba escondem, à primeira vista, o luxo dos seus interiores. Jardins privados aquecidos, linhos sumptuosos, televisões de ecrã plano, banheiras de imersão, chuveiros exteriores e lareiras são os ingredientes de um esplendoroso retiro. Implantado numa colina com uma magnífica vista sobre o vale de Napa está o Hilltop Dining Room, onde domina a gastronomia de inspiração francesa, de que são exemplo o entrecosto guisado com Pinot Noir e o filete de tamboril com recheio de lagosta. Mesmo às portas do restaurante fica a surpreendente piscina em perfeita harmonia com a paisagem, a banheira de hidromassagem e o imaculado spa do Inn. Os tratamentos disponíveis no spa são inspirados na paisagem circundante. Os serviços utilizam a miríade de plantas autóctones e ingredientes naturais característicos da região de Carneros, desde azeitonas a sementes de mostarda, grainhas a manteiga de cabra, os quais estão divididos em categorias: The Harvests, The Minerals, The Cellars, The Farms e The Creeks of Carneros. O emblemático tratamento Massagem com Pedras e Gemas Medicinais do spa contempla uma massagem de todo o corpo com óleos de aromaterapia carregados de energia solar e suaves pedras de origem vulcânica. No final, sete gemas semi-preciosas são colocadas em pontos chakra essenciais até ao centro do corpo, reequilibrando o corpo, a mente e o espírito.

TRATAMENTO ESPECIAL: MASSAGEM COM PEDRAS E GEMAS MEDICINAIS DE CARNEROS

The Carneros Inn
4048 Sonoma Highway
Napa, CA 94559
United States

TEL +1 707 2994900
FAX +1 707 2994950
EMAIL info@thecarnerosinn.com
WEBSITE www.thecarnerosinn.com

Ojai Valley Inn & Spa

Bien podría confundirse el paraíso terrenal con el balneario Ojai: Frank Capra escogió los valles y prados circundantes como ubicación de Shangri-la en su película *Horizontes perdidos*. En la actualidad, este lujoso refugio *new age* de 65 habitaciones ofrece sibaríticos remedios al estrés de nuestro siglo. La arquitectura se hace eco del estilo colonial español tradicional, con paredes encaladas, tejados de terracota, complicados herrajes y un campanario de 15 metros de altura que domina el patio central. Al amanecer se celebran clases de *tai chi* en el césped, o bien en las espaciosas salas del Mind/Body Center, en el que también puede practicarse yoga, aeróbic y arte-terapia. Las paredes de las salas de tratamiento están pintadas en tonos cálidos. En algunas hay un pequeño hogar, confortable complemento de caprichos tales como una envoltura de saúco, cuyos ingredientes se obtienen del jardín cercano. Una sala abovedada está reservada específicamente para la práctica en grupo de *kuyam*, el tratamiento más característico del balneario. Este tradicional ritual de purificación de los indios norteamericanos comienza con la aplicación de fangos ricos en minerales. A continuación, la bóveda se llena de un vapor herbáceo que satura y perfuma el aire durante la subsiguiente sesión de meditación. A esto sigue una ducha y la aplicación de lociones hidratantes, antes de envolver al visitante en toallas calientes. Una vez cubierto, tome asiento en el pórtico; la vista que se abre ante el visitante desde allí es verdaderamente paradisíaca.

TRATAMIENTO CARACTERÍSTICO: KUYAM

Paradiso terrestre: non esiste una definizione più calzante per descrivere il centro benessere Spa Ojai, le valli circostanti e i rigogliosi giardini che hanno rappresentato Shangri-La, il mitico paradiso cui è dedicato il film di Frank Capra *Orizzonti Perduti*. Oggi, questo lussuoso centro in tipico stile New Age con 65 camere offre una ricca selezione di antidoti sibaritici ai vari stress che complicano la vita nel nostro secolo. L'architettura rende omaggio alla tradizione coloniale spagnola con pareti tinteggiate di bianco, tetti di terracotta, ricchi lavori di ferro battuto e un campanile alto circa 15 metri che domina un cortile centrale. Corsi di tai chi si tengono all'alba all'aperto sul prato oppure in stanze arieggiate presso il Mind/Body Center, dove sono disponibili anche yoga, aerobica e *art therapy*. Le pareti delle sale destinate ai trattamenti sono nei toni caldi della terra. Alcune hanno anche uno scoppiettante camino, un confortevole complemento per trattamenti quali il bendaggio al sambuco. Una speciale sala con soffitto a cupola è riservata al Kuyam, il trattamento esclusivo del centro, che presuppone sedute di gruppo. Si tratta di un rituale purificatore della tradizione dei Nativi Americani, che inizia con un fango ricco di minerali. La cupola si riempie, quindi, del vapore aromatizzato alle erbe, che satura e profuma l'aria durante la successiva sessione di meditazione. Poi una doccia e quindi l'applicazione di una lozione idratante. Avvolti in calde tele di lino, gli ospiti vengono fatti accomodare sulla loggia, un angolo appartato esterno da cui si contempla un panorama incredibile, quasi celestiale.

TRATTAMENTO ESCLUSIVO: KUYAM

«Céu na Terra» é uma boa descrição para o Spa Ojai. Os vales e os maravilhosos jardins que rodeiam o spa foram outrora Shangri-La, o mítico paraíso do filme *Horizonte Perdido* de Frank Capra. Actualmente, este luxuoso retiro *New Age* de 65 quartos oferece vários antídotos sibaríticos para os stresses deste século. A arquitectura reflecte a tradição colonial espanhola com paredes brancas, telhados de terracota, gradeamentos intricados e uma torre sineira de 15 metros sobranceira a um pátio central. As aulas de tai chi ao nascer do sol são dadas no relvado ou em estúdios arejados do Mind/Body Center, onde também há aulas de ioga, aeróbica e arte-terapia. As paredes das salas de tratamento estão pintadas em quentes tons de castanho-terra. Algumas destas salas têm uma lareira crepitante, um agradável acompanhamento para deliciosos tratamentos como a máscara corporal de plantas medicinais e sabugueiro (todos os ingredientes são colhidos no jardim do complexo). Uma sala abobadada especial está reservada para a prática em grupo do Kuyam, o tratamento de eleição do spa. Este ritual de purificação tradicional dos nativos americanos começa com um tratamento à base de argila rico em minerais. Depois, o vapor de infusões herbais enche a cúpula, saturando e perfumando o ambiente durante a sessão de meditação orientada que se segue. O tratamento continua com um duche, que termina com a aplicação de uma loção hidratante e de uma máscara corporal quente. Envoltos no linho, sentamo-nos na lógia, um refúgio ao ar livre onde podemos contemplar o panorama divinal.

TRATAMENTO ESPECIAL: KUYAM

Ojai Valley Inn & Spa
905 Country Club Road
Ojai, CA 93023
United States

TEL: +1 805 6465511
FAX: +1 805 6467969
EMAIL: info@ojairesort.com
WEBSITE: www.ojairesort.com

Viceroy Palm Springs

En los años treinta fue local de moda entre los personajes de Hollywood; hoy, el renacido Viceroy Palm Springs (anteriormente Estrella) encarna el concepto chic de Palm Springs. En él, el más duro estilo moderno contrasta con elementos extremadamente teatrales para crear un ambiente a medio camino entre un hotel y un plató de cine. Perros de porcelana flanquean los senderos, las lámparas cuelgan cercanas a los lechos y grandes candelabros iluminan las terrazas y cortinas de las 74 habitaciones. La interiorista Kelly Wearstler tiene facilidad para crear escenarios memorables: en el balneario, las puertas amarillas y las impolutas superficies blancas ofrecen un sedante contrapunto visual al calor del desierto. El salón es un irreverente homenaje a la formalidad del estilo regencia inglés, con sus alfombras blancas de pelo largo, varias piezas de gres enmarcadas, un busto de inspiración griega y muebles diseñados a medida por la propia Wearstler. La gama de productos holísticos del doctor Hauschka ha inspirado un tratamiento facial de dos horas de duración, para cuya aplicación las esteticistas deben asistir a cursos específicos. El tratamiento corporal Placidez Botánica emplea una mezcla especial de finas sales marinas europeas y manteca de karité aplicada sobre la piel, a lo que sigue una ducha Vichy y unos masajes con una mezcla de zumo de aloe puro y aceite de oliva y de prímulas. Tres piscinas, cuatro cabañas exteriores para masajes y una sala de masajes para parejas con su propia terraza con *jacuzzi* completan el balneario.

TRATAMIENTO CARACTERÍSTICO: PLACIDEZ BOTÁNICA Y DUCHA VICHY

Negli anni trenta era il rifugio delle star di Hollywood alla ricerca di pace e tranquillità; oggi il restaurato Viceroy Palm Springs, già Estrella, è l'incarnazione dell'eleganza di Palm Springs. Un design moderno e deciso contrasta profondamente con gli elementi teatrali creando un ambiente che è in parte un albergo di lusso, in parte un set cinematografico. Statue di piccoli levrieri che fiancheggiano i viali interni, lanterne che oscillano tremule a fianco ai letti delle 74 camere, e lampadari che pendono dalle terrazze schermate da pesanti tendaggi. Kelly Wearstler, designer di interni, ha un talento per creare ambienti memorabili e qui al centro benessere, le porte giallo limone e le superfici bianco candido sono il contrappunto perfetto al calore del deserto. La sala d'attesa è un'irriverente imitazione dell'estetica formale dello stile Regency inglese, con tappeti bianchi a pelo lungo, ceramiche incorniciate, un busto di ispirazione greca e mobili disegnati su misura da Wearstler. La linea di trattamenti olistici ideata dal Dr. Hauschka è la base per il trattamento viso di due ore che prende il nome dallo stesso Hauschka e che deve essere eseguito da un'estetista specializzata. Il Botanical Body Bliss è un trattamento che consiste nell'applicazione di una speciale miscela di sali marini fini europei e burro di karité africano, seguita da una doccia Vichy e da un peeling con una miscela di succo puro di aloe, olio di oliva e di primula notturna. Sono a disposizione degli ospiti anche tre piscine, quattro *cabanas* per massaggi all'aperto e una sala massaggi per coppie con terrazza privata con vasca idromassaggio.

TRATTAMENTO ESCLUSIVO: BOTANICAL BODY BLISS E DOCCIA VICHY

Outrora um retiro dos anos 30 para as estrelas de Hollywood, o renascido Viceroy Palm Springs (anteriormente denominado Estrella) personifica a elegância de Palm Springs. Aqui, o design moderno de linhas austeras contrasta com os elementos teatrais usados para criar um ambiente que é parte *resort*, parte cenário. Estátuas de *whippets* indicam os caminhos, lanternas balouçam junto às camas dos 74 quartos e lustres pendem do tecto em terraços com cortinas. A designer de interiores Kelly Wearstler tem uma tendência natural para criar cenários memoráveis e o spa, com as suas portas amarelo-limão e as frescas superfícies brancas, proporciona um agradável contraste visual ao calor do deserto. O salão é uma irreverente reinterpretação da estética da regência inglesa, com felpudas carpetes brancas, peças de cerâmica emolduradas, um busto de inspiração grega e mobiliário desenhado à medida por Wearstler. A linha de produtos holísticos Dr. Hauschka é a inspiração do homónimo tratamento de rosto com duração de duas horas, que requer a presença de uma esteticista com formação específica. O Botanical Body Bliss utiliza uma mistura especial de sais marinhos europeus e manteiga de karité africana, que é aplicada na pele, seguindo-se um duche de Vichy e uma massagem com uma mistura de sumo de aloé puro, azeitona e óleos de primavera. Três piscinas, quatro cabanas de massagens exteriores e uma sala de massagens dotada de terraço com jacuzzi privativo completam o retrato.

TRATAMENTO ESPECIAL: BOTANICAL BODY BLISS E DUCHE DE VICHY

Viceroy Palm Springs
415 South Belardo Road
Palm Springs, CA 92262
United States

TEL: +1 760 3204117
FAX: +1 760 3233303
EMAIL: info@viceroypalmsprings.com
WEBSITE: www.viceroypalmsprings.com

Spa du Soleil
at the Auberge du Soleil

Pocos lugares resaltan el carácter mediterráneo de las zonas vinícolas de California como el Auberge du Soleil ('la posada del sol'), una lujosa mansión rural que domina 13 hectáreas de olivares en el extremo oriental del valle de Napa. Sus 50 *suites*, ordenadas en casitas de color pardo con vistas a los viñedos, resultan verdaderamente idílicas. Las vidrieras dan paso a una amplia terraza, la leña para el hogar se repone a diario, las enormes bañeras reciben luz cenital y las camas se visten con juegos de Frette. Los ondulantes senderos, el jardín de esculturas y las tres piscinas exteriores realzan el encanto del lugar. Los 650 m² del balneario se construyeron en torno a las fuentes de piedra y los olivos centenarios del patio central, lo que da al conjunto el aire de una abadía medieval. Las seis salas de tratamiento se abren a un patio privado dotado de bañera o ducha exterior. El menú del balneario refleja la abundancia de productos frescos locales y organiza su oferta en cuatro categorías. Los Tratamientos del Valle se basan en fangos y minerales; los Tratamientos del Huerto usan aceite de oliva; los Tratamientos de Jardín se sirven de hierbas y flores; y los Tratamientos de la Viña tienen en la uva su principal ingrediente. Si quiere disfrutar al máximo, obséquiese con las cuatro horas del tratamiento Opus: en él se emplean semillas de uva, ricas en antioxidantes, en una serie de tratamientos que incluyen vapores herbales, exfoliación, máscara corporal y una cura facial.

TRATAMIENTO CARACTERÍSTICO: OPUS

Pochi posti ricordano il carattere mediterraneo dei vigneti californiani come il complesso dell'Auberge du Soleil (letteralmente la locanda del sole), un lussuoso villaggio che si snoda su 13 ettari di oliveti nella parte orientale di Napa Valley. Il complesso dispone di 50 suite ripartite in cottage color terra, che si affacciano sui vigneti, il luogo ideale per sognare: porte a vetri che si spalancano su ampi terrazzi, camini alimentati giornalmente con ciocchi di legna, vasche enormi per crogiolarsi sotto il sole e letti *king size* per dormire placidamente avvolti in sontuose lenzuola di Frette. Viali interni, un giardino di sculture e tre piscine scoperte contribuiscono ad accrescere il fascino del posto. Il centro benessere, che si estende su una superficie di circa 650 metri quadrati, è stato costruito intorno ad un ampio cortile con fontane di pietra e olivi secolari, e attraversandolo sembra quasi di trovarsi in un'antica abbazia medievale. Ognuna delle sei sale destinate ai trattamenti affaccia su un patio privato con vasca o doccia esterna. Il centro ha strutturato le proposte disponibili in quattro categorie distinte, ed ogni trattamento sfrutta una ricca selezione di ingredienti locali freschi. I trattamenti *Valley* (valle) si basano tutti su fanghi e minerali; i trattamenti *Grove* (oliveto) sono a base di olio d'oliva; i trattamenti *Garden* (giardino), invece, privilegiano erbe e fiori; i trattamenti *Vineyard* (vigneto) sono a base di uva. E se volete vivere il non plus ultra dei servizi disponibili, consigliamo di prenotare *Opus*, un trattamento che dura quattro ore, a base di semi di uva ricchi di antiossidanti, in cui si alternano vapore a base di erbe, trattamento esfoliante, maschera corpo e trattamento viso.

TRATTAMENTO ESCLUSIVO: OPUS

Poucos lugares evocam o carácter mediterrânico da região vinícola da Califórnia de uma forma tão rigorosa como o Auberge du Soleil («albergue do Sol»), uma luxuosa propriedade rural implantada num olival de 13 hectares no limite oriental de Napa Valley. As 50 suites, distribuídas por casas de madeira em tons de castanho-terra com vista para as vinhas, são um convite ao romance: as janelas mediterrânicas dão acesso a amplos terraços, as lareiras são reabastecidas com madeira todos os dias, as enormes banheiras estão instaladas por baixo de clarabóias e as camas *king size* são feitas com lençóis Frette. Os caminhos serpenteantes, o jardim de esculturas e as três fantásticas piscinas exteriores tornam o charme ainda mais irresistível. O spa de 650 metros quadrados desenvolve-se em torno de um pátio com fontes de pedra e oliveiras centenárias, conferindo-lhe um ar de abadia medieval. Cada uma das seis salas de tratamento tem um pátio privativo com banheira ou chuveiro exterior. O menu do spa reflecte a variedade de ingredientes frescos disponíveis na região, organizando a oferta em quatro categorias diferentes. Os tratamentos do Vale baseiam-se em argila e minerais, os tratamentos do Olival utilizam azeite, os tratamentos do Jardim fazem uso de plantas e flores e nos tratamentos da Vinha o denominador comum é a uva. Para se entregar ao deleite supremo, reserve o Opus, com duração de quatro horas, que utiliza as grainhas ricas em antioxidantes numa série de tratamentos, incluindo vapores aromatizados com plantas, esfoliação, máscara corporal e tratamento de rosto.

TRATAMENTO ESPECIAL: OPUS

Spa du Soleil at the Auberge du Soleil
180 Rutherford Hill Road
Rutherford, CA 94573
United States

TEL: +1 707 9631211
FAX: +1 707 9638764
EMAIL: info@aubergedusoleil.com
WEBSITE: www.aubergedusoleil.com

Tru

Tru es un espacio etéreo que ofrece un reposado alejamiento de la vida urbana en el corazón mismo de San Francisco. El balneario, diseñado por el arquitecto Chris Kofitsas, se caracteriza por la claridad de líneas, los espaciosos interiores y el aprovechamiento de la luz que crean un entorno minimalista y moderno. Tru ofrece masajes, manicura, tratamientos acuáticos, depilación y tratamientos faciales y corporales. Dispone también de una sala «tropical» única en su género, en la que se desarrollan los tratamientos especiales de Tru. En esta sala, que evoca el Amazonas, el visitante puede gozar de baños de vapor al tiempo que una suave música selvática le pone en situación. Otra característica única es el sistema de luces de colores computerizado del balneario, que se emplea durante los masajes para inducir a levantar el ánimo. Cada sala tiene una iluminación diferente, directamente relacionada con el tipo de masaje que en ella se practica. El moderno diseño de Tru tiene una importancia definitiva en la concepción y funcionamiento del balneario. En la recepción y los puntos de venta se combinan refrescantes tonos azules y blancos con suelos de bambú natural y resplandecientes paneles de plexiglás que crean la sensación de ingravidez y luminosidad, mientras que los muros ondulados y las esculturas cónicas de tela cercanas a las salas de tratamiento crean un ritmo en el espacio rectangular del balneario. Los tratamientos se centran en la efectividad, y en ellos priman las exfoliaciones, las extracciones y los masajes.

TRATAMIENTO CARACTERÍSTICO: TRATAMIENTO FACIAL CON OXÍGENO TRU 02

Tru è un luogo etereo e tranquillo in cui fuggire dal tran-tran della città, nel cuore del centro di San Francisco. Il centro benessere è stato progettato dall'architetto Chris Kofitsas: le sue linee pulite, gli spazi ariosi e l'uso della luce creano un moderno ambiente minimalista. Sono disponibili massoterapia, manicure, impacchi e bendaggi, cere, trattamenti viso e corpo. È disponibile anche una sala che ricorda una foresta pluviale, che costituisce l'ambiente ideale in cui si eseguono i trattamenti corpo esclusivi del centro. Nella sala che ricorda l'Amazzonia, si viene sottoposti a un particolare bendaggio per il corpo, mentre le dolci note della giungla riecheggiano in sottofondo creando il giusto stato d'animo. Un'altra caratteristica esclusiva è la cromoterapia «cromoblast» totalmente computerizzata, che si utilizza durante trattamenti a base di massaggi volti a migliorare l'umore. Ogni sala ha un'illuminazione diversa in funzione del tipo di massaggio. Il design moderno con cui è stato realizzato Tru riveste un ruolo di primo piano nello stile semplice e funzionale cui si è ispirato l'allestimento. Nella reception e nei punti vendita, i toni freddi del blu e del bianco, i pavimenti di bambù naturale e i pannelli di plexiglas trasparente danno un senso di galleggiamento e luminosità, mentre le linee curve e le sculture coniche di stoffa che conducono all'area riservata ai trattamenti danno ritmo allo spazio squadrato del centro benessere. I trattamenti puntano soprattutto sull'efficacia attraverso esfoliazione, estratti e massaggi.

TRATTAMENTO ESCLUSIVO: TRATTAMENTO VISO TRU CON OSSIGENO 02

Tru é um espaço etéreo que proporciona uma evasão tranquila da vida citadina, mesmo no coração da baixa de São Francisco. Desenhado pelo arquitecto Chris Kofitsas, as linhas escorreitas do spa, os espaços arejados e a utilização da luz criam um ambiente minimalista moderno. A oferta do Tru contempla massagens, tratamentos de unhas, tratamentos de hidroterapia, depilação com cera, tratamentos de rosto e tratamentos corporais. Dispõe ainda de uma sala única inspirada na floresta tropical, onde se realizam os tratamentos corporais emblemáticos do Tru. Neste enclave evocativo da Amazónia, podemos passar pela experiência de uma distinta máscara corporal/banho a vapor com a suave música da selva a tocar baixinho em fundo para recriar o ambiente ideal. Outro exclusivo deste spa é a terapia de luzes «colorblast» controlada por computador utilizada durante as massagens para melhorar os humores. Cada sala tem uma iluminação diferente consoante o tipo de massagem que esteja a ser realizada. O design moderno do Tru desempenha um papel importante no conceito simples e despojado do spa. Na recepção e nos espaços de vendas, tonalidades frescas de azul e branco, pavimentos de bambu natural e painéis brilhantes de Plexiglas criam uma sensação de flutuação e luminosidade, ao passo que as paredes curvas e as esculturas cónicas de tecido que nos acompanham até às salas de tratamento dão ritmo ao espaço rectangular do spa. Os tratamentos estão particularmente orientados para a eficácia através de esfoliação, extracções e massagem.

TRATAMENTO ESPECIAL: TRATAMENTO DE ROSTO COM OXIGÉNIO TRU 02

Tru
750 Kearny Street
San Francisco, CA 94108
United States

TEL +1 415 3999700
FAX +1 415 7657891
EMAIL info@truspa.com
WEBSITE www.truspa.com

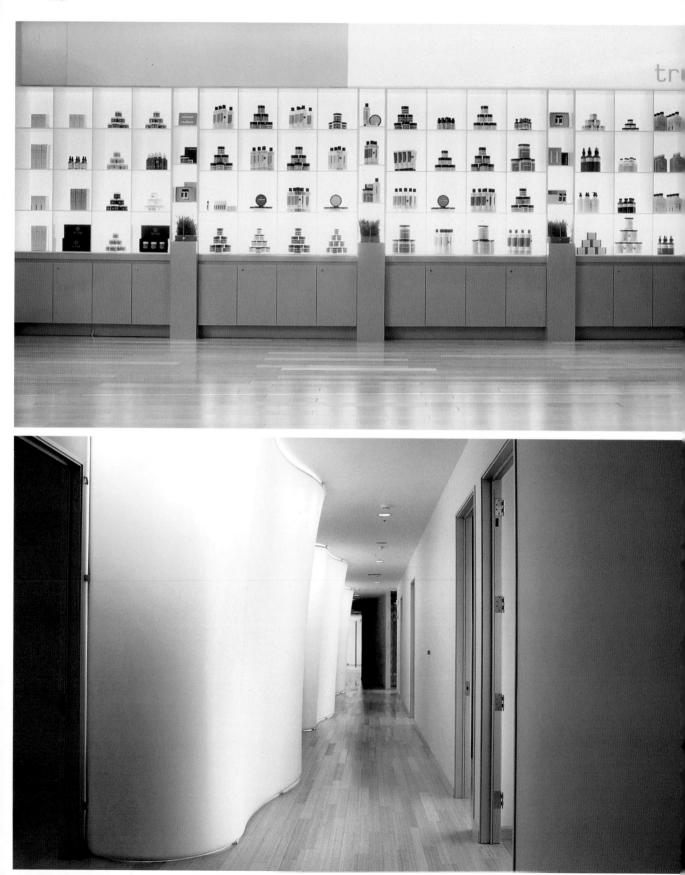

The Kenwood Inn & Spa

Imagine las onduladas colinas de la Toscana, y el ambiente de una bulliciosa aldea mediterránea. Si bien se encuentra a poca distancia de la principal autopista de Sonoma Valley, Kenwood Inn es el equivalente sensorial a una residencia rural europea, cuyas vistas se extienden sobre más de 800 hectáreas de los viñedos más hermosos de la región. El núcleo central de las 30 *suites* del hotel es un patio verde y una enorme piscina, a cuyo alrededor se esparcen hamacas acolchadas que reciben la sombra de frondosos enrejados. En la barra del cercano salón se sirven todo tipo de bebidas alcohólicas. Cerca de allí, un molino de agua acoge las cascadas y una sala de vapor. En otro patio se halla un *jacuzzi* de agua mineral. Las habitaciones son espléndidas, exquisitas, con amplias camas con colchones de plumas, equipos estéreo ultramodernos y una colección de discos CD escogida con gusto (la ausencia de televisor favorece una atmósfera romántica y tranquila). El balneario Caudalie Vinothérapie, el primero de su clase en Estados Unidos, es una filial del famoso balneario Caudalie de Burdeos. Sus productos toman como base la vid y los extractos de uva, cuyos extraordinarios beneficios para la piel son bien conocidos. El gran tratamiento facial Caudalie es todo un clásico: realizado completamente a mano, emplea técnicas específicas de masaje, combinadas con productos que estimulan la renovación de las células y mejoran la textura de la piel.

TRATAMIENTO CARACTERÍSTICO: TRATAMIENTO FACIAL CAUDALIE

Pensate alle colline toscane e all'ambiente di una villa mediterranea con i suoi muri irregolari. Anche se si trova non lontano dall'uscita dell'autostrada per Sonoma Valley, il complesso del Kenwood Inn è, dal punto di vista delle percezioni sensoriali, l'equivalente di una seconda casa di campagna europea, che affaccia su circa 800 ettari di alcuni dei più bei vigneti della regione. Il punto centrale del complesso che dispone di 30 suite è un cortile verdeggiante con un'enorme piscina, circondata da lettini imbottiti e riparata da pergolati di edera. Un fornitissimo bar è disponibile nella sala d'attesa limitrofa. Il vicino mulino comprende cascate e una sala di vapore; un altro cortile ha una vasca idromassaggio con acqua minerale. Le camere sono sontuose e arredate con gusto, con letti con piumini, impianti stereo ultramoderni e una raccolta di CD. (La mancanza della TV rende l'atmosfera più silenziosa e romantica.) La Caudalie Vinothérapie Spa è il primo centro di questo genere aperto negli Stati Uniti ed è il gemello del più famoso Caudalie di Bordeaux, in Francia. I prodotti s'ispirano agli estratti naturali dell'uva, noti per le loro notevoli proprietà di bloccare i radicali liberi e per migliorare la pelle. Il Caudalie Grand Facial Treatment è un classico cult: si tratta di un massaggio completamente manuale, che applica tecniche specifiche di massoterapia in abbinamento a prodotti che stimolano il ricambio cellulare e migliorano l'aspetto della pelle.

TRATTAMENTO ESCLUSIVO: CAUDALIE GRAND FACIAL

Imagine as montanhas onduladas da Toscana e o ambiente de uma sumptuosa vila mediterrânica. Embora esteja situado mesmo à saída da auto-estrada principal Sonoma Valley, o Kenwood Inn é o equivalente sensório de um retiro rural europeu, gozando de uma ampla vista para 800 hectares de algumas das mais belas vinhas da região. O ponto central desta propriedade com 30 suites é um verdejante pátio com uma piscina de dimensões generosas, rodeada de cadeirões estofados e sombreada por uma latada coberta de hera. No salão adjacente existe um bar devidamente abastecido. O moinho ali perto alberga quedas de água e um banho turco, existindo noutro pátio um jacuzzi com água mineral. Os quartos são luxuosos e sóbrios, com camas amplas e colchões de penas, aparelhagens ultramodernas e uma equilibrada colecção de CDs. (A ausência de televisores proporciona uma atmosfera tranquila e romântica.) O Caudalie Vinothérapie Spa, o primeiro do género nos EUA, é uma propriedade gémea do famoso spa Caudalie em Bordéus, França. Os produtos são produzidos à base da vinha natural e de extractos de uva, conhecidos pela sua extraordinária capacidade de concentrar radicais livres e suavizar a pele. O tratamento Caudalie Grand Facial é um clássico de culto: integralmente executado à mão, recorre a técnicas de massagem específicas em articulação com os produtos para estimular a renovação das células e melhorar a textura da pele.

TRATAMENTO ESPECIAL: CAUDALIE GRAND FACIAL

The Kenwood Inn & Spa
10400 Sonoma Highway
Kenwood, CA 95452
United States

TEL: +1 707 8331293
FAX: +1 707 8331247
EMAIL: info@kenwoodinn.com
WEBSITE: www.kenwoodinn.com

International Orange

El International Orange ofrece un entorno sofisticado y al mismo tiempo relajante para la práctica del yoga y distintos tratamientos regeneradores. El minimalista interior, decorado en maderas blancas y oscuras, incluye un luminoso estudio de yoga que recuerda no tanto el aire de los sesenta de muchos centros de yoga como el ambiente de una galería de arte moderno, impresión fomentada por el programa de exposiciones rotativas de obras de pintores y escultores contemporáneos que ofrece el balneario. Ése es sólo uno de los muchos detalles que hacen único este balneario urbano: deben mencionarse también las orquídeas en flor flotando a la luz de las velas en las impecables salas de tratamiento, así como la bandeja de trufas, queso y fruta del salón y los albornoces diseñados especialmente por uno de los dueños del local. Los muebles del íntimo recibidor/salón se inspiran en el escultor minimalista Donald Judd, suavizados, eso sí, con cubiertas de piel y confortables batas en las que arroparse de camino hacia un tratamiento. Los servicios de yoga y balneario del International Orange son remedios restauradores diseñados para potenciar las energías curativas naturales del cuerpo. El balneario utiliza productos vegetales enriquecidos con extractos herbales orgánicos, aceites esenciales y elementos frescos. Tras disfrutar de tratamientos como el Ashtanga o la exclusiva exfoliación con miel, la maravillosa terraza posterior es un espléndido lugar en el que continuar el descanso.

TRATAMIENTO CARACTERÍSTICO: EXFOLIACIÓN CON MIEL

L'International Orange offre un ambiente sofisticato, ma rilassato per la pratica dello yoga e per i trattamenti termali. Gli interni in legno chiaro e scuro, in perfetto stile minimalista, sono dotati di una sala per yoga molto luminosa, che ricorda più una galleria d'arte moderna che l'atmosfera anni sessanta di un ashram, tipica di numerosi centri yoga. In linea con ciò, l'International Orange offre un programma di opere d'arte di pittori e scultori contemporanei che si alternano in tutti i locali. Questo non è che uno dei piccoli dettagli che fanno di questo centro benessere cittadino un luogo unico in cui trascorrere l'intera giornata a farsi coccolare da mani esperte. Altre delizie sono ciotole di boccioli di orchidee galleggianti nell'acqua nelle immacolate sale destinate ai trattamenti illuminate a lume di candela, un elegante buffet di cioccolatini, formaggi e frutta nella sala d'attesa e gli esclusivi accappatoi di spugna disegnati da uno dei proprietari. L'ingresso e la sala d'attesa, che preservano la privacy, sono arredate con mobili ispirati allo scultore minimalista Donald Judd, con linee ammorbidite da coperte di pelliccia e comodi accappatoi in cui gli ospiti si avvolgono per avviarsi ai trattamenti. I servizi termali e i corsi di yoga offerti dall'International Orange sono rimedi ristoratori destinati a stimolare le proprietà di guarigione naturale dell'organismo. Il centro benessere utilizza prodotti vegetali arricchiti con estratti organici di erbe, oli essenziali e ingredienti freschi. Dopo un Ashtanga o uno Scrub with Honey Glaze, il trattamento esfoliante esclusivo offerto dal centro, la veranda con vista incredibile sul paesaggio circostante è il luogo ideale per continuare a rilassarsi.

TRATTAMENTO ESCLUSIVO: SCRUB WITH HONEY GLAZE

O International Orange proporciona um ambiente sofisticado, mas descontraído, para a prática de ioga e para tratamentos de spa. O interior em madeira branca e madeira escura tem um estúdio de ioga cheio de luz que tem mais semelhanças com uma galeria de arte moderna do que com a onda *ashram* dos anos 60 de tantos outros centros de ioga. Por isso, o International Orange apresenta um programa rotativo de instalações da autoria de pintores e escultores contemporâneos que se espalha por todo o espaço. Este é apenas um dos pequenos pormenores que fazem deste *day spa* citadino um lugar tão especial; assim como outros toques, tais como a luz das velas e a taça de orquídeas flutuantes nas salas de tratamento imaculadas, uma elegante tábua de trufas, queijo e fruta no salão e os exclusivos roupões de tecido turco desenhados por um dos proprietários do spa. O salão/zona de espera intimista está decorada com mobiliário inspirado pelo escultor minimalista Donald Judd, suavizado por cobertas felpudas e pelos sublimes roupões em que nos envolvemos antes de irmos para os tratamentos. Os serviços de spa e ioga do International Orange são soluções restauradoras concebidas para estimular as capacidades naturais de regeneração do corpo. O spa utiliza produtos à base de plantas enriquecidos com extractos orgânicos de ervas medicinais, óleos essenciais e ingredientes frescos. Depois do Ashtanga ou da emblemática esfoliação do IO com Loção de Mel, a varanda soberbamente integrada na paisagem é um local óptimo para continuar a descontrair.

TRATAMENTO ESPECIAL: ESFOLIAÇÃO COM LOÇÃO DE MEL

International Orange
2044 Fillmore Street
San Francisco, CA 94115
United States

TEL +1 415 5635000
FAX +1 415 5635000
EMAIL info@internatinalorange.com
WEBSITE www.internationalorange.com

The Spa
at Amelia Island Plantation

El balneario de Amelia Island Plantation ofrece los cuidados más lujosos en un entorno respetuoso con la naturaleza. Situado a corta distancia de la costa de Florida, la residencia del balneario se extiende entre playas atlánticas y un paisaje verde y subtropical que es al mismo tiempo una reserva animal natural. Sobre el amplísimo y soleado terreno, el arquitecto, diseñador y ecologista Robert Henry ha creado un complejo integrado en la naturaleza. Dos edificios de tratamiento, construidos en madera, y un salón independiente rodean un sereno jardín de meditación. En las salas de tratamiento, los tonos pastel, las fibras naturales y la suave iluminación crean una atmósfera de reposo ideal para recibir tratamientos de reflexología, experimentar una gama completa de masajes y la aplicación sobre el cuerpo de paños fragantes y aromaterapéuticos. Un puente de madera, tendido entre robles cubiertos de musgo, cruza la laguna que rodea Watsu Island, en la que tiene lugar el tratamiento característico del balneario. Este masaje *shiatsu* se practica en una piscina termal rica en minerales que se mantiene constantemente a unos agradables 37 °C. Mientras el cuerpo flota en este lecho acuático, un terapeuta realiza una serie de suaves estiramientos cuyo objetivo es reducir el estrés y potenciar la flexibilidad. Un Paseo por las Nubes, un tratamiento en el que se envuelve al cliente por completo en paños impregnados de aceites esenciales, pone punto y final a esta sesión de relax e hidratación.

TRATAMIENTO CARACTERÍSTICO: WATSU

Il complesso del centro benessere dell'Amelia Island Plantation offre la possibilità di soggiornare, e lasciarsi coccolare, in un ambiente lussuoso e al tempo stesso eco-sensibile. A poca distanza dalle coste della Florida, l'isola su cui si trova il complesso alberghiero è situata tra le spiagge bianche bagnate dall'Atlantico e un paesaggio subtropicale, santuario per la ricca flora-fauna della zona. Su una vasta superficie baciata dal sole, l'architetto e designer specializzato in architettura eco-compatibile Robert Henry ha creato un complesso alberghiero dedicato alle cure termali che s'inserisce armoniosamente nel contesto ambientale. Due padiglioni per i trattamenti costruiti in legno e un salone a parte per ogni tipo di servizio si ergono intorno a un tranquillo giardino per la meditazione. Nelle sale destinate ai trattamenti, tonalità pastello, fibre naturali e luci soffuse creano un'atmosfera di calma mentre i terapisti eseguono trattamenti di riflessologia o massoterapia e applicano bendaggi per il corpo aromaterapeutici a base di fragranti essenze. Un ponte di legno costruito tra querce ricoperte da un fitto tappeto di muschio spagnolo attraversa la laguna che circonda l'isola di Watsu, dove si effettua il trattamento esclusivo del centro. Si tratta di un massaggio shiatsu particolare, che si esegue in una vasca con acqua termale ricca di minerali mantenuta costantemente alla gradevolissima temperatura di 37° C. Mentre il corpo galleggia in questo cocoon liquido, un fisioterapista fa compiere delicati allungamenti (stretching) che servono a ridurre lo stress e a migliorare l'elasticità dei gruppi muscolari. La sessione si conclude con un trattamento lenitivo e idratante («Walk in the Clouds»), un bendaggio a base di oli essenziali molto aromatici.

TRATTAMENTO ESCLUSIVO: WATSU

O Spa at Amelia Island Plantation estraga-nos com luxuosos mimos num ambiente de grande sensibilidade ecológica. Localizada ao largo da costa da Florida, a ilha que acolhe o *resort* é dominada pelas praias atlânticas e por uma verdejante paisagem subtropical, que também é um santuário de vida selvagem. Na vasta propriedade abundantemente banhada pelo Sol, o arquitecto e designer ecologista Robert Henry criou um complexo de spa em harmonia com o ambiente. Dois edifícios em madeira para tratamentos e um salão de beleza de serviço completo separado foram construídos à volta de um tranquilo jardim de meditação. Nas salas de tratamento, suaves tons pastel, fibras naturais e iluminação suave criam uma atmosfera de calma, onde os terapeutas administram reflexologia, executam um complemento integral de técnicas de massagem e aplicam fragrantes máscaras corporais de aromaterapia. Uma ponte de madeira entre os carvalhos colgados com samambaia atravessa a lagoa que rodeia Watsu Island, onde é aplicado o tratamento de eleição do spa. Esta massagem baseada no shiatsu é executada numa piscina termal enriquecida com sais minerais mantida à confortável temperatura constante de 37°. Com o corpo a flutuar neste casulo líquido, um terapeuta aplica suaves movimentos de alongamento para reduzir o stresse e aumentar a flexibilidade. «Passeio nas Nuvens», uma envolvente máscara corporal com óleos essenciais profundamente aromáticos é o purificante e hidratante final desta sessão.

TRATAMENTO ESPECIAL: WATSU

The Spa at Amelia Island Plantation

6800 First Coast Highway
Amelia Island, FL 32035
United States

TEL. +1 904 2616161
FAX +1 904 2775945
EMAIL info@spaamelia.com
WEBSITE www.spaamelia.com

Agua at the Delano Hotel

El hotel Delano, en el centro de South Beach, es un complejo urbano surrealista. Apenas si es posible distinguir entre las zonas comunes interiores y exteriores, con lo que el hotel proyecta una imagen de calma y elegancia. El vestíbulo del Delano es ideal para observar a la gente; se inspira en los cafés de la plaza de San Marco, en Venecia, y confirma la vocación del hotel como escenario teatral. Dispone de 238 habitaciones, *suites*, *lofts*, apartamentos y bungalós, algunos de los cuales están directamente situados frente la piscina de cuarzo y el salón acuático que dan fama al local. La del Delano es una decoración típica de Philippe Starck, su diseñador, espectacular y elegante a un tiempo, y se caracteriza por suelos blancos de madera, paredes de espejo, acabados de mármol y ondulantes cortinas frente a puertas abiertas. La elegancia continúa en el salón, donde puede admirarse una barra de 4,5 metros y un biombo de 3,5 construidos a medida a partir de espejos venecianos grabados a mano. En la azotea se encuentra Agua, el balneario y solario para mujeres; en él se ofrecen masajes, tratamientos faciales, aromaterapia corporal y ejercicios de meditación concebidos por Rita Norona Schrager, antigua bailarina del *ballet* de Nueva York. El balneario, que recuerda las antiguas termas romanas, incluye un salón acuático en el que se puede flotar, meditar, o simplemente dormir. El hotel cuenta asimismo con un solario, un jardín de invierno, un gimnasio moderno, áreas de ejercicio en interior y exterior y clases de *fitness* en la playa. También es posible recibir masajes y tratamientos diversos en la propia habitación.
TRATAMIENTO CARACTERÍSTICO: LECHE Y MIEL

Situato al centro di South Beach, direttamente sull'oceano, il complesso del Delano è una struttura urbana surrealista. Nelle aree comuni dell'albergo, la separazione tra ambienti esterni e interni non è netta e l'impressione è di un ambiente rilassato e informale, ma di gran classe. L'ingresso interno/esterno dell'albergo si è ispirato ai caffè all'aperto di Piazza S. Marco a Venezia e al principio dell'«albergo come teatro». L'hotel dispone di 238 camere, suite, mansarde, appartamenti e bungalow, di cui alcuni adiacenti alla caratteristica piscina al quarzo e all'area dei bagni del centro benessere. In linea con la filosofia del designer Philippe Starci, l'arredo scelto per il Delano è fantastico ed elegante allo stesso tempo, caratterizzato da pavimenti di legno bianco, pareti a specchio, rifiniture di marmo e porte aperte con tendaggi disinvolti. Nell'elegante sala d'attesa dominano un bar costruito su misura lungo 4,5 metri e un divisorio a pannelli di 3,5 metri che richiama gli specchi veneziani lavorati a mano. Agua, il centro benessere e solarium per donne, offre massaggi, trattamenti viso, aromaterapia e meditazione sviluppati da Rita Norona Schrager, ex ballerina newyorkese. L'area dei bagni, un ambiente da sogno realizzato secondo le linee delle antiche terme romane, ha ampi spazi ove abbandonarsi al piacere di un bagno, meditare o dormire. L'hotel dispone anche di un solarium e di una serra, di una palestra con attrezzature all'avanguardia, di aree per il fitness coperte e scoperte, e organizza corsi di ginnastica sulla spiaggia. Gli ospiti hanno anche a disposizione servizio in camera per massaggi e trattamenti.
TRATTAMENTO ESCLUSIVO: LATTE E MIELE

Localizado no centro de South Beach, mesmo sobre o mar, o Delano é um *resort* urbano surrealista. Com pouca separação entre interior e exterior nos espaços públicos do hotel, o edifício projecta uma postura descontraída, mas cheia de estilo. Ideal para ver e ser visto, o átrio interior/exterior do Delano foi buscar inspiração às esplanadas da praça de São Marcos em Veneza e ao conceito de «hotel como teatro». O hotel tem 238 quartos, suites, *lofts*, apartamentos e *bungalows*, incluindo alguns adjacentes à distintiva piscina de quartzo e ao salão aquático. Típica do designer Philippe Starck, a decoração do Delano é teatral e chique, caracterizada por pavimentos de madeira branca, paredes espelhadas, pormenores de mármore e portas abertas com cortinas ao sabor das brisas. O elegante salão tem um bar de 4,5 metros feito à medida e um ecrã almofadado de 3,5 metros produzido a partir de espelhos venezianos feitos à mão. A oferta do Agua, o complexo balnear e solário para senhoras, contempla massagens, tratamentos de rosto, tratamentos corporais de aromaterapia e meditação concebidos pela antiga bailarina de Nova Iorque Rita Norona Schrager. Recuperando a tradição dos antigos banhos romanos, o sonhador salão aquático do spa tem espaços para flutuarmos, meditarmos ou dormirmos. O hotel dispõe ainda de um solário natural e jardim de Inverno, ginásio moderno, áreas de *fitness* interiores e exteriores e aulas de *fitness* na praia. Também estão disponíveis massagens e tratamentos de spa aplicados no quarto.
TRATAMENTO ESPECIAL: LEITE E MEL

Agua at the Delano Hotel
1685 Collins Avenue
Miami Beach, FL 33139
United States

TEL +1 305 6722000
FAX +1 305 5320099
EMAIL delano@ianschragerhotels.com
WEBSITE www.delanohotelmiamibeach.com

Château Élan Spa

El romanticismo es una parte importantísima del Château Élan Spa, en el que tanto el ambiente como los tratamientos han sido creados teniendo siempre presente *l'amour*, lo que hace que sean especialmente indicados para disfrutarlos *à deux*. Ubicado en un imponente palacete de estilo francés con vistas a un lago y rodeado por idílicos jardines, frondosos viñedos y bosques veteados por el sol, este balneario-residencia parece más cercano a Europa que a Atlanta, y sin embargo, la capital del estado de Georgia está a apenas 30 minutos en coche. La decoración individual de las habitaciones se inspira en todos los continentes y épocas. La habitación Victorian Wicker, por ejemplo, está decorada con obras de arte y antigüedades de aquella época de decoroso romance, mientras que las imágenes de fauna salvaje y las tallas de la habitación Zimbabue acercan ésta a África. Y esto es sólo el principio. El balneario ofrece un marco apropiado para casi todos los estilos y fantasías; además, la mayoría de las 277 habitaciones están equipadas con una ducha doble o un *jacuzzi* para dos. Este romántico entorno pone al visitante en situación para recibir el tratamiento especial del balneario, un masaje de pareja en la propia habitación a la luz de las velas y aromatizado con una alfombra de pétalos de rosa. Este celestial capricho bien puede culminar los tratamientos faciales, envolturas integrales y demás placeres de las salas de tratamiento, o bien un paseo cogidos de la mano por las sendas forestales del balneario.

TRATAMIENTO CARACTERÍSTICO: MASAJE PARA PAREJAS

L'atmosfera romantica è l'ingrediente principale dello Château Élan Spa, dove gli ambienti e i trattamenti sono stati creati all'insegna dell'*amour* e si apprezzano meglio *à deux*. Situato all'interno di un imponente *château* di chiaro stile francese, affacciato su un lago e circondato da prati arcadici, vigneti lussureggianti e foreste in cui il sole gioca a nascondino tra la folta vegetazione, questo centro benessere residenziale sembra più vicino all'Europa che non ad Atlanta. Eppure la capitale della Georgia dista solo 30 minuti. Le camere per gli ospiti, oguna ispirata ad un motivo dominante, si rifanno alle atmosfere europee. Per esempio, la Victorian Wicker Room è arredata con mobili e oggetti d'arte dell'età vittoriana, mentre le foto e le statue in legno di animali che si possono ammirare nella Zimbabwe Room sono un omaggio all'Africa. E non è che l'inizio. C'è un'ambientazione in grado di soddisfare ogni stile o fantasia, e la maggior parte delle 277 camere hanno doccia o vasca idromassaggio per due. Quest'ambiente «costruito per sognare» prelude al trattamento esclusivo del centro, un massaggio per coppie da effettuarsi nella camera degli ospiti a luce di candela e profumato da petali di rosa appena raccolti. Questo trattamento potrebbe essere il modo più piacevole per concludere una giornata trascorsa tra un trattamento viso e un bendaggio per il corpo e altro ancora nella cabina dedicata ai trattamenti, o semplicemente passeggiando mano nella mano lungo il sentiero immerso nel verde del centro benessere.

TRATTAMENTO ESCLUSIVO: MASSAGGIO PER COPPIE

Romantismo é um ingrediente-chave na abordagem ao Château Élan Spa, onde o ambiente e os tratamentos foram criados no espírito de *l'amour* e a melhor forma de os apreciar é *à deux*. Localizado num imponente *château* ao estilo francês com vista para um lago brilhante e rodeado por relvados arcádicos, vinhas luxuriantes e florestas matizadas pelo Sol, o spa residencial parece mais próximo da Europa do que de Atlanta. Todavia, a capital do estado está apenas a 30 minutos de distância de carro. Os quartos obedecem todos a temas diferentes inspirados nos vários continentes e eras. O Victorian Wicker Room, por exemplo, tem peças de arte e antiguidades daquela época do romance decoroso, ao passo que as gravuras de animais selvagens e as criaturas esculpidas do Zimbabwe Room vêm directamente de África. E isto é apenas o começo, pois há ambientes para quase todos os tipos de fantasias. A maioria dos 277 quartos dispõe de chuveiro duplo ou de jacuzzi para duas pessoas. Estes ambientes criados à medida do amor são o palco do tratamento especial do spa, uma massagem para o casal aplicada no quarto à luz de velas e aromatizada com pétalas de rosa acabadas de arrancar. Este hino ao deleite poderá assinalar o fim de um dia passado a receber um tratamento de rosto, uma máscara corporal, entre outros, numa sala preparada para o efeito, ou simplesmente um dia passado a deambular de mãos dadas pelo trilho florestal do spa.

TRATAMENTO ESPECIAL: MASSAGEM PARA CASAIS

Château Élan Spa
Haven Harbour Road
Braselton, GA 30517
United States

TEL: +1 678 4250900
FAX: +1 678 4256004
EMAIL: chateau@chateauelan.com
WEBSITE: www.chateauelan.com

Spa Suites at Kahala Mandarin Oriental

A diez minutos de Waikiki, en el elegante barrio residencial de Kahala, se alza el Kahala Mandarin Oriental frente a una playa semi-circular con vistas a Diamond Head y los cráteres de Koko Head. El hotel (construido por Conrad Hilton en 1964) ha aparecido en episodios de las series *Magnum* y *Hawai 5-0;* la propiedad conserva un aire de antigua plantación hawaiana. Las 364 habitaciones están amuebladas al estilo de comienzos del siglo XX, con suelos de teca, alfombras tibetanas tejidas a mano y cuadros de destacados artistas locales. Una laguna natural de agua salada acoge a cinco encantadores delfines mulares. Una sala decorada con tallos de bambú gigante da la bienvenida al huésped de las *suites* del balneario. Cada una de ellas recibe el nombre de una flor autóctona diferente, y sus 50 m² albergan un vestidor, una ducha, una sala de reposo, un baño de rebosadero continuo y un jardín. La caoba pulida, los cojines de roten y las velas flotantes consiguen crear un ambiente reposado; los lechos para el masaje están recubiertos con mantas tradicionales hawaianas, cosidas a mano por el personal del hotel. Casi todos los tratamientos comienzan con un ritual baño de pies en agua aromatizada, a la que se añaden sales marinas hawaianas. El programa Lokahi es toda una experiencia de dos horas y media: comienza con un baño de aromas, un frotado corporal y una exfoliación integral con aloe y continúa con un masaje con aceites de *kukui* y de nueces de macadamia.

TRATAMIENTO CARACTERÍSTICO: LOKAHI

A dieci minuti da Waikiki, nel prestigioso quartiere residenziale di Kahala, il complesso del Kahala Mandarin Oriental sorge su una spiaggia appartata a forma di mezzaluna e con vista dei crateri dei vulcani di Diamond Head e Koko Head. Costruito nel 1964 da Conrad Hilton (vi sono stati girati alcuni episodi di *Magnum, P.I.* e di *Hawaii Five-O*), il complesso ricorda la casa padronale di una grande piantagione hawaiana. Mobili hawaiani della fine del XX secolo arredano le 364 camere degli ospiti, insieme a pavimenti di tek, tappeti tibetani tessuti a mano e singolari opere d'arte di artisti locali. Una laguna naturale di acqua salata ospita cinque delfini dell'Atlantico, beniamini di tutti gli ospiti. Una sala d'attesa schermata da canne di bambù gigante accoglie gli ospiti al centro benessere; le sale per i trattamenti, che prendono il nome da diversi fiori tipici delle isole, misurano ognuna circa 50 metri quadrati e sono dotate di spogliatoio, doccia privata, cabina per il relax, vasca incassata senza bordo e giardino. Mogano lucidato, cuscini di rattan e candele galleggianti forniscono un tranquillo rifugio; i lettini per i massaggi sono ricoperti da tradizionali trapuntini hawaiani, lavorati a mano dal personale dell'albergo. Quasi tutti i trattamenti cominciano con un rituale pediluvio in acqua aromatizzata mescolata con sali hawaiani. Il *Lokahi*, un trattamento della durata di due ore e mezzo, inizia con un bagno aromatico, trattamento corpo con spazzola e successiva esfoliazione levigante con aloe, quindi massaggio con olio di kakui e noci macadamia.

TRATTAMENTO ESCLUSIVO: LOKAHI

A dez minutos de Waikiki, na selecta zona residencial de Kahala, o Kahala Mandarin Oriental está implantado numa praia discreta em forma de meia-lua com vista para as crateras de Diamond Head e Koko Head. Construído em 1964 por Conrad Hilton (servindo de cenário a episódios de séries como *Magnum, P.I.* e *Hawaii Five-O*), o resort tem a aura de uma luxuosa casa principal das plantações havaianas. Os móveis havaianos datando da viragem do século XX decoram os 364 quartos, juntamente com os pavimentos de parquete em teca, tapetes tibetanos feitos à mão e obras selectas de artistas locais. Uma lagoa natural de água salgada alberga cinco roazes corvineiros do Atlântico, que toda a gente adora. Um salão abrigado por canas de bambu gigante recebe os hóspedes das Spa Suites, todas elas com o nome de uma flor havaiana diferente. Estas suites de 50 metros quadrados são compostas por um balneário, chuveiro privativo, sala de relaxamento, banheira de imersão projectada no infinito e jardim. Mogno polido, almofadas de rotim e velas flutuantes criam um ambiente tranquilo. As camas de massagem são envoltas em colchas havaianas tradicionais, cosidas à mão por pessoal do hotel. Quase todos os tratamentos começam por um ritual de lavagem dos pés em água aromática misturada com sais do mar havaiano. O Lokahi, com a duração de duas horas em meia, começa com um banho aromático, escovagem do corpo e uma esfoliação corporal com aloé, seguindo-se uma massagem com óleos de noz de macadâmia e kukui.

TRATAMENTO ESPECIAL: LOKAHI

Spa Suites at Kahala Mandarin Oriental
5000 Kahala Avenue
Honolulu, HI 96816
United States

TEL: +1 808 3672525
FAX: +1 808 7398716
EMAIL: mohnl-reservations@mohg.com
WEBSITE: www.mandarinoriental.com

Spa Halekulani

Halekulani significa en hawaiano 'casa celestial'. El hotel de 455 habitaciones y el balneario así bautizados ponen todo de su parte para hacer justicia a su nombre. Sylvia Sepielli, directora del balneario, ha sabido encontrar en la superpoblada costa de Waikiki dos hectáreas de solitarias playas en las que crear un refugio íntimo que es al mismo tiempo escaparate de las artes y las tradiciones curativas de las islas del Pacífico. La espaciosa recepción cuenta con una fuente, paredes en tonos cítricos y relucientes suelos de bambú. Reproducciones originales de flores tropicales adornan el pasillo que conduce a las salas de tratamientos, en las que puede disfrutarse de la especialidad del balneario: el Viaje Celestial, de cuatro horas de duración. Los huéspedes escogen su itinerario a partir de una lista masajes y tratamientos faciales indígenas. Un buen ejemplo es el *lomi lomi*, una técnica de masaje basada en las antiguas enseñanzas de los *kahuna* hawaianos, versión local de los curanderos. Para mejorar el flujo de energía y liberar la tensión acumulada, las masajistas aplican pases largos y fluidos con las manos y los antebrazos lubricados con aceites aromáticos. La suave rotación de las articulaciones y unos suaves estiramientos revigorizan el cuerpo: el *hula-hula* que la especialista baila en torno a la mesa llena de energía la estancia y el espíritu. La próxima estación puede ser, por ejemplo, un lujoso tratamiento facial rico en vitaminas basado en extractos de plantas tropicales, que precede el descanso bajo el susurro de las palmeras y la relajación al ritmo de las olas en la terraza del balneario frente a la playa.

TRATAMIENTO CARACTERÍSTICO: VIAJE CELESTIAL

In hawaiano, *halekulani* vuol dire «casa che si confà al paradiso». L'hotel con 455 camere e il centro benessere che hanno questo nome puntano a rimanere fedeli a questa traduzione. Nei 2 ettari di terreno quasi isolati dell'altrimenti sovraffollata spiaggia di Waikiki, la proprietaria del centro benessere, Sylvia Sepielli, ha saputo creare un rifugio esclusivo in cui fanno bella mostra le arti decorative e le tradizioni curative delle isole del Pacifico. L'area a giorno della reception è caratterizzata da un'allegra fontana, con pareti color giallo limone e lucidi pavimenti di bambù. Fotografie originali di fiori tropicali rivestono il corridoio che conduce verso le sale destinate ai trattamenti, dove si esegue la specialità del centro: il cosiddetto Heavenly Journey, un viaggio «celestiale» che dura ben quattro ore. Gli ospiti scelgono il loro itinerario tra una serie di tecniche di massaggi indigeni e trattamenti viso. Tra queste il lomi lomi, un massaggio che si basa sugli antichi insegnamenti del *kahuna* hawaiano, la versione isolana dei guaritori. Per migliorare il flusso dell'energia e, quindi, allentare le tensioni che si sono accumulate, il terapista esegue movimenti lunghi, fluidi con mani e avambracci cosparsi di oli aromatici. La rotazione delicata delle articolazioni e l'allungamento moderato contribuiscono a rinvigorire il corpo; l'*hula* che il terapista esegue intorno al tavolo dà energia all'ambiente e allo spirito. Un inebriante trattamento viso a base di vitamine e piante tropicali potrebbe essere il trattamento successivo prima di avviarsi verso le palme ondeggianti e rilassarsi al ritmico suono del surf sulla terrazza lungo la spiaggia del centro.

TRATTAMENTO ESCLUSIVO: HEAVENLY JOURNEY

Em havaiano, «halekulani» significa «casa própria do céu». O hotel de 455 quartos e o spa aos quais foi atribuído este nome fazem todos os possíveis para o merecer. Nos 2 recatados hectares da muito concorrida praia de Waikiki, a directora do spa Sylvia Sepielli criou um refúgio intimista que demonstra as artes decorativas e as tradições curativas das ilhas do Pacífico. A área da recepção de plano aberto tem uma fonte gotejante, paredes da cor do limão e pavimentos de bambu brilhantes. Quadros originais de flores tropicais adornam o corredor que dá acesso às salas de tratamento, os locais onde se realiza a especialidade do spa: uma Viagem ao Céu de quatro horas. Os hóspedes planificam o itinerário a partir de uma lista de massagens e técnicas de tratamentos de rosto havaianas. Lomi lomi é uma das opções, a qual é uma técnica de massagem baseada nos antigos ensinamentos do *kahuna* havaiano, a versão insular do curandeiro. Para melhorar o fluxo de energia e, assim, libertar a tensão acumulada, a massagista utiliza movimentos longos e fluidos, com as mãos e braços lubrificados com óleos aromáticos. A suave rotação das articulações e alongamentos moderados ajudam a revigorar ainda mais o corpo e a *hula* à volta da mesa do terapeuta transmite energia ao ambiente e ao espírito. Um luxuoso tratamento de rosto rico em vitaminas utilizando produtos medicinais feitos de plantas tropicais poderá ser a próxima paragem, antes de sairmos na direcção das palmeiras ondulantes e relaxarmos ao som ritmado da ondulação no terraço mesmo à frente da praia do spa.

TRATAMENTO ESPECIAL: VIAGEM AO CÉU

Spa Halekulani
2199 Kalia Road
Honolulu, HI 96815
United States

TEL: +1 808 9315322
FAX: +1 808 9315321
EMAIL: spa.halekulani@halekulani.com
WEBSITE: www.halekulani.com

Four Seasons Resort Hualalai at Historic Ka'upulehu

La costa de Kailua-Kona en Hawai, donde se ubica el hotel Four Seasons Hualalai, con sus 243 habitaciones y *suites*, es tan impresionante que resulta difícil decidir dónde centrar la vista. Rocas de lava negras como la pez, palmeras ondulantes, una provisión aparentemente inagotable de sol y el interminable destello del mar. No causa sorpresa, pues, que el principal empeño del famoso gimnasio y balneario Hualalai sea trasladar al interior parte de la maravilla exterior. Las nueve *hale* ('cabañas') de masajes, las duchas y gimnasios al aire libre, las saunas y baños de vapor vidriados, y el patio de meditación y yoga son buena prueba de este afán. Tanto el gimnasio como el balneario ponen a disposición del visitante una combinación ideal de actividad física, relax mental y rejuvenecimiento corporal. Los masajes disponibles en el balneario, practicados en las tranquilas salas de tratamiento o en el exterior, en los *hale*, van desde el vigoroso *lomi lomi* hawaiano y el *shiatsu* japonés hasta los masajes suecos, tailandeses y el *reiki*. El antiguo tratamiento *Hone Huali* o Exfoliación Corporal con Azúcar de los Mares del Sur consiste en 50 minutos de hidratación y exfoliación cutánea, y se apoya en una mezcla de aceites esenciales, azúcar hawaiano de caña, coco y miel *lehua* terapéutica. Hay numerosas oportunidades de ejercitarse: jugando a tenis, levantando pesas o practicando el voleibol, sin olvidar la oportunidad de hacer el *hole in one* definitivo: el campo de golf de 18 hoyos diseñado por Jack Nicklaus, enmarcado en la espectacular costa de Kailua-Kona, permite embocar el primer hoyo directamente hacia el volcán Hualalai.
TRATAMIENTO CARACTERÍSTICO: HONE HUALI O EXFOLIACIÓN CORPORAL CON AZÚCAR DE LOS MARES DEL SUR

La costa di Kailua-Kona, nell'arcipelago delle Hawaii, dove sorge il complesso del Four Seasons Hualalai, con 243 camere e suite, è talmente affascinante che non si sa da che parte guardare. Rocce di lava più nera del nero, palme ondeggianti, sole apparentemente senza limiti e un mare sempre trasparente. Non stupisce che la filosofia del rinnovato complesso dell'Hualalai Sports Club and Spa sia di trasferire all'interno un po' dello splendore che si ammira all'esterno. Nove *hale* (capanne hawaiane con tetto di paglia) esterne per massaggi, docce esterne, palestra all'aperto, sala di vapore e sauna con pareti di vetro e un cortile in erba per lo yoga/meditazione si sposano tra loro in una perfetta fusione tra natura e splendore degli interni. Il villaggio e il centro benessere offrono agli ospiti la combinazione ideale di attività sportiva, riposo mentale e rinvigorimento fisico che vogliono ottenere. I trattamenti di massoterapia disponibili (eseguiti nelle rilassanti cabine oppure all'esterno nella capanna) vanno dal vigoroso lomi lomi hawaiano allo shiatsu giapponese al massaggio svedese, tailandese e reiki. Il trattamento esclusivo è il cosiddetto «Hone Huali» o South Seas Sugar Body Scrub, un trattamento esfoliante della durata di 50 minuti, che idrata e rinnova la pelle, a base di oli essenziali, zucchero di canna hawaiano, cocco e miele di lehua terapeutico. Per quanto riguarda il fitness, gli ospiti hanno a loro disposizione tennis, body building, pallavolo, e soprattutto l'esclusivo campo da golf Jack Nicklaus a 18 buche, circondato dalla meravigliosa spiaggia di Kailua-Kona, che si estende proprio di fronte al vulcano Hualalai.
TRATTAMENTO ESCLUSIVO: «HONE HUALI» O SOUTH SEAS SUGAR BODY SCRUB

A costa de Kailua-Kona no Havai, onde fica situado o Four Seasons Hualalai, com 243 quartos e suites, é tão bonita que até se torna difícil decidir para onde olhar. Rocha de lava intensamente negra, palmeiras ondulantes, sol quase ilimitado e um infindável mar brilhante. Não admira que o conceito do renovado Hualalai Sports Club and Spa privilegie o contacto com o exterior. Nove *hales* (cabanas) de massagem exteriores, chuveiros exteriores, ginásios ao ar livre, banho turco e sauna exteriores com paredes de vidro e um pátio relvado para ioga/meditação combinam-se para esse efeito. O clube e spa proporcionam aos hóspedes o ambiente perfeito para uma combinação ideal de actividade física, descontracção mental e rejuvenescimento corporal. Os tratamentos de massagens do spa (executados nas relaxantes salas de tratamentos ou lá fora na *hale*) vão desde o vigoroso lomi lomi havaiano e shiatsu japonês à massagem sueca, tailandesa e reiki. O «Hone Huali» ou Esfoliação Corporal com Açúcar dos Mares do Sul é um delicioso tratamento especial de 50 minutos concebido para hidratar e esfoliar a pele, incorporando uma mistura de óleos essenciais, cana do açúcar havaiana, coco e mel *lehua* terapêutico. Jogar ténis, vólei ou levantar pesos são algumas opções de *fitness*, já para não falar de outra jogada certeira: o famoso curso de 18 buracos de Jack Nicklaus, rodeado pela magnífica orla marítima de Kailua-Kona, oferece o primeiro buraco jogando directamente na direcção do vulcão de Hualalai.
TRATAMENTO ESPECIAL: «HONE HUALI» OU ESFOLIAÇÃO CORPORAL COM AÇÚCAR DOS MARES DO SUL

Four Seasons Resort Hualalai
at Historic Ka'upulehu
100 Ka'upulehu Drive, Ka'upulehu-Kona, HI 96740
United States

TEL: +1 808 3258000
FAX: +1 808 3258200
EMAIL: world.reservations@fourseasons.com
WEBSITE: www.fourseasons.com/hualalai

The Fairmont Orchid

El Fairmont Orchid se alza frente a la espléndida costa de Kohala en la gran isla de Hawai, oculto al mundo exterior tras espectaculares afloramientos de roca volcánica negra como el ébano. Las 13 hectáreas de terreno costero ofrecen espectaculares vistas del océano y del cercano volcán Mauna Kea. El visitante capaz de apartar su atención de las vistas (y de los Mai Tais) puede disfrutar de las instalaciones para la práctica de tenis, golf, *fitness*, natación, buceo, remo, así como de una visita a una reserva de petroglifos. Sin embargo, debe reservar algo de tiempo para gozar del Spa Without Walls (literalmente «balneario sin paredes»). Como su propio nombre indica, el balneario aprovecha al máximo el entorno natural de Hawai y traslada hasta el borde mismo del agua su oferta de tratamientos curativos de larga tradición. Los tratamientos corporales se desarrollan en apartadas cabañas en primera línea de playa, en una casita de té próxima a una preciosa cascada y rodeada por un exuberante jardín tropical, o en la intimidad de una de las 540 habitaciones. También las clases de yoga se desarrollan junto al agua. El interior del balneario ofrece tratamientos muy característicos, como la exfoliación Gran Isla con café y vainilla, que emplea no sólo el café Kona que da fama a la región sino también azúcar hawaiano no refinado, vainilla («el fruto de la orquídea»), aceites esenciales de naranja, *kukui* (aceite de nuez), aceite de semilla de uva, extracto de té verde y *ginseng*.

TRATAMIENTO CARACTERÍSTICO: EXFOLIACIÓN GRAN ISLA CON CAFÉ Y VAINILLA

Lungo la Kohala Coast incontaminata sull'isola di Big Island, la più grande delle Hawaii, nascosto al mondo esterno da incredibili cumuli di lava nera come l'ebano: qui sorge il complesso del Fairmont Orchid. I 13 ettari del complesso, che si erge proprio sulle rive dell'oceano, offrono agli ospiti viste mozzafiato del Pacifico e del vulcano Mauna Kea. Se riuscite a staccarvi dal panorama (e dal Mai Tai, il cocktail più popolare delle Hawaii), potete dedicarvi a tennis, golf, fitness, nuoto, snorkeling, canoa e anche a un'escursione per ammirare alcuni petroglifi. Tuttavia lasciate del tempo per farvi coccolare dal personale del centro benessere Spa Without Walls. Come lascia intuire il nome stesso (centro benessere senza pareti), il centro massimizza l'ambiente naturale delle isole con arti curative antiche, offrendo agli ospiti trattamenti che traggono il massimo dal fronte spiaggia di cui gode. I trattamenti corpo si eseguono in *cabanas* riservate poste prospicienti l'oceano, in una sala del tè adiacente ad allegre cascate d'acqua e lussureggianti giardini tropicali, oppure nella privacy delle 540 camere per gli ospiti. Anche i corsi di yoga possono essere tenuti in riva al mare. All'interno del centro sono disponibili trattamenti particolari, quali l'esclusivo Big Island Vanilla Coffee Exfoliation, un trattamento esfoliante che utilizza non solo il famoso caffè Kona, ma anche zucchero grezzo hawaiano, vaniglia («il frutto dell'orchidea»), olio essenziale all'arancia, kukui (olio di aleurite), olio di semi di uva, estratto dell'albero verde e ginseng.

TRATTAMENTO ESCLUSIVO: BIG ISLAND VANILLA COFFEE EXFOLIATION

Implantado na imaculada costa de Kohala na ilha grande do Havai, escondido do mundo exterior por impressionantes formações de rocha vulcânica, escura como o ébano, encontramos o Fairmont Orchid. Este *resort* de 13 hectares na frente marítima proporciona vistas magníficas do Pacífico e do vulcão de Mauna Kea situado nas proximidades. Se nos conseguirmos abstrair da vista (e dos Mai Tais), poderemos praticar ténis, golfe, exercícios de *fitness*, natação, mergulho, embarcar em passeios de canoa ou numa visita a uma reserva com gravuras rupestres. Contudo, é imperioso guardar algum tempo para o luxo do Spa Without Walls. Como o próprio nome indica, o spa utiliza ao máximo o ambiente natural do Havai com artes terapêuticas tradicionais proporcionando tratamentos que aproveitam plenamente a localização privilegiada da propriedade à beira-mar. Os tratamentos corporais são executados em discretas cabanas na frente marítima, numa casa de chá isolada junto a quedas de água e luxuriantes jardins tropicais ou na privacidade dum dos 540 quartos. Até há aulas de ioga que são dadas mesmo junto ao mar. Dentro das quatro paredes do spa, a oferta contempla requintados tratamentos como a Esfoliação com Café e Baunilha da Ilha Grande, que incorpora não só o café de Kona, que trouxe fama à região, mas também açúcar de cana havaiano, baunilha («fruto da orquídea»), óleo de essência de laranja, kukui (óleo de noz molucana), óleo de grainha, extracto de chá verde e ginseng.

TRATAMENTO ESPECIAL: ESFOLIAÇÃO COM CAFÉ E BAUNILHA DA ILHA GRANDE

The Fairmont Orchid
One North Kaniku Drive
Kohala Coast, HI 96473
United States

TEL: +1 808 8852000
FAX: +1808 8855778
EMAIL: orchid@fairmont.com
WEBSITE: www.fairmont.com/orchid

Four Seasons Resort Maui at Wailea

Uno se sorprende a menudo pensando en el paraíso durante su estancia en el hotel Four Seasons Maui de Wailea, en cuyas seis hectáreas puede encontrarse gran profusión de jardines, fuentes, piscinas y *lanais* (patios techados) al borde mismo del océano. El concepto del balneario, que ofrece 380 habitaciones y *suites*, está estrechamente ligado a las leyendas hawaianas, que ven en el agua un símbolo de rejuvenecimiento y de espíritu. De ahí que la oferta del balneario del hotel se base en antiguas tradiciones hawaianas. Trece nuevas salas de tratamiento se esparcen sobre los 1.950 m² de las instalaciones; en el jardín curativo crecen más de veinte tipos distintos de plantas y árboles medicinales: aloe vera, taro, *kukui*, coco y muchos otros, que se emplean tanto con fines terapéuticos como culinarios. En la playa hay tres *hales*, o chozas de techo de paja, disponibles para masajes con vistas a la playa de Wailea y a la isla de Lanai. El repertorio del balneario incluye un tratamiento creado a partir de una ceremonia sagrada de curación, el trabajo corporal Templo Hawaiano, que un mínimo de dos masajistas trabajando al unísono puede llevar a cabo en la caseta de bambú frente a la playa. El Masaje Oceánico Craneosacral, a su vez, emplea los ritmos del mar para liberar tensiones. Se dispone incluso de una *suite* doble, en la que los huéspedes descansan sobre lechos envolventes y climatizados antes de ser tratados con una suntuosa máscara de aguacate y *maile* hawaiano.

TRATAMIENTO CARACTERÍSTICO: TRABAJO CORPORAL TEMPLO HAWAIANO

La parola «paradiso» si evoca facilmente all'hotel Four Seasons Resort Maui nella località di Wailea, un susseguirsi di giardini esotici, fontane, piscine e *lanai* al limitare dell'oceano, su una superficie di 8 ettari. La filosofia del complesso, che offre 380 camere e suite, è intimamente legata alla leggenda hawaiana, secondo la quale l'acqua è simbolo di rinvigorimento e spirito. Di conseguenza, il centro benessere del Four Seasons Resort Maui basa la sua offerta di servizi sulle antiche tradizioni indigene. Il centro, che si sviluppa su una superficie di circa 2.000 metri quadrati, conta 13 nuove sale per i trattamenti e un *Healing Garden* con oltre 20 tipi diversi di piante e alberi nativi e medicinali – dall'aloe vera al taro, dal kukui al cocco – che confluiscono poi nei trattamenti e nei menù gastronomici. Tre *hale* (tipiche capanne dal tetto di paglia) erette direttamente sull'oceano con vista su Wailea Beach e sull'isola di Lanai sono disponibili per i massaggi. Le nuove proposte del centro benessere comprendono l'Hawaiian Temple Bodywork, che riprende un rito sacro della guarigione, che viene eseguito in una capanna di bambù lungo la spiaggia da almeno due fisioterapisti che lavorano all'unisono, e l'Ocean Cranio-Sacral Massage, un massaggio rilassante della testa che emulando il allenta la tensione. È disponibile anche una suite per coppie, in cui gli ospiti possono rilassarsi su letti *cocoon* riscaldati prima di ricevere una lussuriosa maschera per il corpo a base di avocado e maile hawaiano.

TRATTAMENTO ESCLUSIVO: HAWAIIAN TEMPLE BODYWORK

A palavra «paraíso» vem-nos facilmente à mente no Four Seasons Resort Maui em Wailea, uma propriedade com 6 hectares de jardins exóticos, fontes, piscinas e *lanais* à beira-mar. A filosofia do *resort*, com 380 quartos e suites, está intimamente associada à lenda havaiana que encara o mar como símbolo de rejuvenescimento e de espírito. Por isso, o Spa do Four Seasons Resort Maui baseia a sua oferta em antigas tradições havaianas. O complexo com 1950 metros quadrados tem 13 novas salas de tratamento e um Jardim da Regeneração com mais de 20 tipos diferentes de plantas e árvores medicinais autóctones – de aloé vera a taro, de kukui ao coco – que foram integradas nos tratamentos e menus culinários. Três *hales* (cabanas com telhados de colmo) havaianas à beira-mar com vista para a praia de Wailea e para a ilha de Lanai podem ser usadas para massagens. O novo menu do spa inclui o Tratamento Corporal dos Templos Havaianos, que radica numa cerimónia sagrada de cura e é executado numa cabana de bambu em frente ao mar por, pelo menos, dois terapeutas a trabalhar em uníssono, e a Massagem Craniana Sagrada do Oceano, que utiliza os ritmos do mar para ajudar a libertar a tensão. Há também uma suite para casais, onde os hóspedes podem relaxar em camas côncavas aquecidas antes de receberem uma luxuosa máscara corporal de abacate e *maile* havaiano.

TRATAMENTO ESPECIAL: TRATAMENTO CORPORAL DOS TEMPLOS HAVAIANOS

Four Seasons Resort Maui at Wailea

3900 Wailea Alanui
Wailea, HI 96753
United States

TEL: +1 808 8748000
FAX: +1 808 8742244
EMAIL: world.reservations@fourseasons.com
WEBSITE: www.fourseasons.com/maui

Ten Thousand Waves

A partir del ejemplo de un tradicional *onsen* (fuente termal) japonés, el Ten Thousand Waves trae Oriente a Occidente. Si bien se mantiene fiel a sus raíces asiáticas, el balneario incorpora acentos del sudoeste que la integran por completo en Santa Fe. El minimalismo de diseño y arquitectura hace uso de elementos naturales como madera, piedra, agua y vegetación, todo en perfecto equilibrio con la naturaleza. Las salas exteriores permiten a los huéspedes admirar las majestuosas montañas Sangre de Cristo desde la comodidad de las cálidas fuentes termales. Los baños son comunes y se accede a ellos desnudo, como es costumbre en Japón, aunque también hay bañeras privadas. Además de los baños tradicionales, el balneario ofrece salas de vapor, saunas y salas de tratamiento privadas. El cliente tiene a su disposición diversos tratamientos faciales y corporales, que incluyen masajes, mascarillas y envolturas herbales. Los masajes *watsu*, Cuatro Manos, Un corazón, y el masaje facial Ruiseñor Japonés son los tratamientos más característicos del Ten Thousand Waves. Durante el masaje acuático *watsu*, el huésped reposa sobre los brazos del terapeuta (que sostiene el rostro por encima del nivel del agua) y recibe una serie de estiramientos seguidos de un masaje en profundidad en una bañera con cascada a temperatura corporal. Durante siglos, *geishas* y actores de teatro *kabuki* han usado el tratamiento facial Ruiseñor Japonés, que incluye aromaterapia y productos vegetales.

TRATAMIENTO CARACTERÍSTICO: MASAJE WATSU / MASAJE CUATRO MANOS, UN CORAZÓN

Rifacendosi all'onsen (o luogo con sorgente calda) tradizionale giapponese, il complesso del Ten Thousand Waves ha trasportato l'est a ovest. Benché rimanga fedele alle radici asiatiche, il centro benessere incorpora l'atmosfera sudoccidentale per dare risalto all'ambiente di Santa Fe cui appartiene. I canoni minimalisti cui si ispirano l'architettura e il design degli interni utilizzano elementi naturali quali legno, pietra, acqua e piante, per mantenere un equilibrio con la natura. Le camere a vista permettono agli ospiti di ammirare le montagne del Sangre de Cristo mentre godono del piacere dei bagni di acqua termale calda. I bagni sono comuni e secondo la tradizione giapponese non si indossano costumi, anche se sono previste vasche private. Oltre alle vasche tradizionali, sono disponibili sale di vapore, saune e cabine private per i trattamenti. Si può scegliere tra diversi tipi di trattamento corpo e viso, tra cui massaggi, trattamenti estetici e bendaggi alle erbe. Il massaggio Watsu, il massaggio «Four Hands, One Heart» e il trattamento viso Japanese Nightingale sono solo alcuni dei trattamenti esclusivi del Ten Thousand Waves. Durante il massaggio Watsu, che si svolge in acqua, l'ospite è cullato tra le braccia del terapista (con gli sostiene la testa fuori dall'acqua), che gli fa compiere una serie di allungamenti ed esegue manipolazioni profonde in una vasca alimentata da una cascata, con acqua piacevolmente riscaldata alla temperatura corporea. Geishe e attori Kabuki hanno utilizzato per secoli il trattamento viso denominato Japanese Nightingale Facial, che comprende aromaterapia e erbe.

TRATTAMENTO ESCLUSIVO: MASSAGGIO WATSU / MASSAGGIO «FOUR HANDS, ONE HEART»

Baseado num *onsen* (caldas de água quente) tradicional japonês, o Ten Thousand Waves transportou o Oriente para o Ocidente. Embora o spa se mantenha fiel às suas raízes asiáticas, denota um certo charme do sudoeste para realçar a sua localização em Santa Fe. A arquitectura minimalista e o design utilizam elementos naturais como a madeira, pedra, água e plantas, tudo num suave equilíbrio com a natureza. As salas ao ar livre permitem que os hóspedes admirem as imponentes montanhas de Sangre de Cristo enquanto usufruem do calor dos banhos de nascente de água quente. Estes banhos são comuns, sendo aqui seguido o costume japonês de não usar qualquer tipo de vestuário, embora também haja banheiras privativas. Além das banheiras tradicionais, o spa dispõe de salas de banho turco, saunas e salas de tratamento privativas. Estão disponíveis vários tipos de tratamento para o rosto e para o corpo, incluindo massagens, tratamentos faciais e máscaras corporais à base de plantas. A massagem Watsu, a massagem «Quatro Mãos, Um Coração» e o Tratamento de Rosto do Rouxinol Japonês são alguns dos tratamentos especiais do Ten Thousand Waves. Durante a massagem aquática Watsu, o hóspede entrega-se nos braços do terapeuta (ficando o rosto apoiado à tona da água) e deixa-se levar numa sequência de alongamentos e massagens profundas numa banheira com cascata e água à temperatura do corpo. Há largos séculos que gueixas e actores de Kabuki recorrem ao Tratamento do Rouxinol Japonês, que inclui aromaterapia e plantas medicinais.

TRATAMENTO ESPECIAL: MASSAGEM WATSU / MASSAGEM «QUATRO MÃOS, UM CORAÇÃO»

Ten Thousand Waves
3451 Hyde Park Road
Sante Fe, NM 87501
United States

TEL. +1 505 9925025
FAX. +1 505 9895077
EMAIL. info@tenthousandwaves.com
WEBSITE. www.tenthousandwaves.com

CLAY

Oasis en el centro de Nueva York, CLAY es un híbrido de gimnasio y balneario con una filosofía holística respecto a la salud y el bienestar. El propio nombre (*clay* significa 'arcilla') subraya esta voluntad de adaptación y la capacidad de transformación. CLAY no es ni un gimnasio ni un balneario al uso, si bien combina elementos de ambos: bicicletas estáticas, reclinables, pesas y salas de ejercicios Pilates y *spinning*, así como estudios para la práctica de yoga y salas de masaje. Su innovador programa ofrece seminarios de cocina y asesoramiento en materia de nutrición, para ampliar el estilo de vida sano a la cocina. La gama de ejercicios supervisados es muy amplia y abarca desde *kickboxing* y entrenamiento militar hasta clases de yoga, *swing*, Pilates y meditación. A esto hay que añadir los extras para después del ejercicio: el salón con chimenea, bañado con la luz cenital de las claraboyas, y el bar terraza sobre el tejado. Como balneario, CLAY ofrece una amplia paleta de masajes: aromaterapéuticos, en silla, endodérmicos, con piedras calientes, médicos, prenatales, reflexológicos, *shiatsu*, deportivos y suecos. CLAY adapta sus masajes de aromaterapia especiales para que aborden específicamente la reducción del estrés, la recuperación de energía, la eliminación de toxinas o el alivio de dolores y molestias; a tal efecto, se emplean distintos extractos vegetales y aceites esenciales en cada terapia. Los tratamientos faciales naturales de CLAY siguen idéntico proceso, y usan una variedad de productos para el cuidado de la piel con los que obtienen una limpieza profunda y la regeneración dérmica.

TRATAMIENTO CARACTERÍSTICO: MASAJE DE AROMATERAPIA

Un'oasi nel centro di New York, CLAY è un ibrido tra palestra e centro benessere che offre un approccio globale e olistico alla salute e al benessere. Il nome «CLAY», che significa argilla, rende l'idea del corpo che deve essere plasmato, forgiato e che ha un potenziale di trasformazione. Non è una semplice palestra né un centro benessere; CLAY, infatti, mette a disposizione gli elementi caratterizzanti di entrambi: tapis roulant, cyclette, pesi e apparecchiature per il metodo Pilates e spinning, oltre a corsi di yoga e sala per massaggi. L'innovativa programmazione prevede seminari quali corsi di gastronomia e consulenza nutrizionale per aiutare a seguire un regime sano anche in cucina. Le lezioni collettive vanno dal kick boxing al boot camp allo yoga, swing, Pilates e meditazione. E dopo i trattamenti un soggiorno a fianco a uno scoppiettante camino, in un ambiente inondato dal sole, e la sala all'attico. I servizi che CLAY offre includono una serie di massaggi: aromaterapia, massaggio sulla sedia, massaggio dei tessuti profondi, massaggio con pietre bollenti, massaggi terapeutici, massaggi prenatali, riflessologia, shiatsu, massaggio per la pratica sportiva e massaggio svedese. Il massaggio esclusivo di CLAY è un'aromaterapia che si concentra sugli arti inferiori, che mira ad alleviare la tensione, accrescere l'energia, disintossicare e lenire i disturbi. Per ogni funzione si usano estratti vegetali e oli essenziali diversi per raggiungere l'obiettivo prefissato. I trattamenti viso naturali che CLAY offre seguono un approccio analogo e usano diversi prodotti per la pelle per stimolarne la purificazione e la rigenerazione.

TRATTAMENTO ESCLUSIVO: MASSAGGIO DI AROMATERAPIA

Um oásis no meio de Nova Iorque, o CLAY é um híbrido de *health club* e spa que proporciona uma abordagem abrangente e holística à saúde e ao bem-estar. O nome «CLAY» é evocativo das propriedades do barro, em especial no que diz respeito à moldagem, à mudança de forma e ao potencial de transformação. Não sendo exclusivamente um ginásio nem um spa, o CLAY tem elementos de ambos: passadeiras, bicicletas estáticas, pesos livres e instalações para Pilates e *spinning*, assim como estúdios de ioga e salas de massagens. A programação inovadora contempla seminários como aulas de culinária e aconselhamento nutricional para ajudar a prolongar o regime saudável até à cozinha. Há aulas de modalidades como kick-boxing, «campo de recruta», ioga, danças, Pilates e meditação, a que se seguem os luxos pós-exercício: uma zona de estar junto à lareira, inundada de luz solar, e o salão no topo do edifício. O menu de spa do CLAY inclui diversas massagens: aromaterapia, massagem sentada, massagem profunda, massagem com pedras quentes, massagem médica, massagem pré-natal, reflexologia, shiatsu, massagem desportiva e massagem sueca. O CLAY adapta a sua emblemática massagem de aromaterapia para reduzir o stresse, aumentar a energia, desintoxicar ou aliviar dores. Consoante cada caso, são utilizados diferentes extractos de plantas e óleos essenciais para se atingirem os objectivos. Os tratamentos de rosto naturais do CLAY partilham esta abordagem, utilizando diferentes regimes de cuidados com a pele para estimular a limpeza profunda e a regeneração.

TRATAMENTO ESPECIAL: MASSAGEM DE AROMATERAPIA

CLAY
25 West 14th Street
New York, NY 10011
United States

TEL: +1 212 2069200
FAX: +1 212 2061780
EMAIL: tmw@insideclay.com
WEBSITE: www.insideclay.com

Maximus Soho

El Maximus Soho combina lo viejo con lo nuevo, el salón de belleza con el balneario, en un entorno que refleja las raíces artísticas de su céntrica ubicación. Partiendo de un edificio de comienzos del siglo XX, el equipo de New World Design Builders mantuvo los altos techos y los pilares originales, así como algunos tabiques de ladrillo, e instaló una pléyade de elementos de alta tecnología con propiedades relajantes. Buen ejemplo de ello es la escultura prismática del artista Fred Eversley, que cae en cascada desde el techo del salón (situado a nivel de calle) hasta el suelo del balneario subterráneo y une así visualmente ambos ambientes al tiempo que subraya la importancia de la luz de colores en la concepción del bienestar vigente en Maximus. En todas las instalaciones del local se han aplicado técnicas de iluminación tintada, que ayudan a devolver el equilibrio al cuerpo y reducen el estrés. Las sesiones de masaje tienen lugar bañadas en luz verde, azul, naranja... o cualquier color de una paleta de más de 6,7 millones de matices. Los tratamientos disponibles se basan en técnicas europeas, hindúes y orientales, en consonancia con la multiculturalidad del entorno. El centro ha diseñado un tratamiento especial concebido como un viaje a través del agua; en él se combinan terapias en una odisea acuática que comienza con una exfoliación e incluye hidroterapia, inmersión en una cascada circular y un masaje completo.

TRATAMIENTO CARACTERÍSTICO: VIAJE A TRAVÉS DEL AGUA

Maximus Soho combina l'idea di salone di bellezza con quella di centro benessere in cui effettuare trattamenti per l'intera giornata, una commistione di vecchio e nuovo in un ambiente che rispecchia l'ubicazione cittadina e le radici artistiche del quartiere in cui sorge. Gli architetti della New World Design Builders hanno lavorato su una struttura della fine del XX sec., della quale hanno preservato i soffitti alti, le colonne originali e alcune delle pareti di mattoni, e nella quale hanno poi inserito con ottimi risultati una moltitudine di elementi *high-tech* con proprietà lenitive. Un esempio di questo genere è la scultura ad olio a forma di prisma opera di Fred Eversley. La scultura pende dal soffitto del salone a livello dell'ingresso fino al pavimento del centro benessere situato al piano sottostante, ed in questo modo unisce visivamente i due luoghi, sottolineando il ruolo della luce colorata nell'approccio al benessere che è alla base della filosofia di Maximus: *Illumination Enhancement*, migliorare attraverso la luce, l'uso delle luci colorate per ripristinare l'equilibrio del corpo e ridurre lo stress. Un massaggio può essere eseguito in una luce verde, blu, arancione... o di un qualsiasi colore su una scala di oltre 6,7 milioni di opzioni. In linea con lo spirito della fusione dell'ambiente, i trattamenti curativi si rifanno alle tecniche europee, indiane e orientali. Il trattamento esclusivo del centro è il Water Journey, un viaggio in cui le terapie si fondono in un'odissea acquatica che inizia con un trattamento esfoliante e si conclude con un idromassaggio, immersione in una cascata circolare e massaggio totale.

TRATTAMENTO ESCLUSIVO: WATER JOURNEY

O Maximus Soho funde os conceitos de salão de beleza com *day spa*, velho e novo no mesmo lugar, reflectindo o bairro da baixa em que está integrado e as suas origens supostamente artísticas. A equipa do New World Design Builders começou com uma estrutura datada da viragem do século XX, deixou os tectos altos, manteve as colunas originais e algumas paredes de tijolo, tendo depois aplicado uma série de elementos de alta tecnologia com propriedades apaziguadoras. A prismática escultura a óleo do artista Fred Eversley é apenas um exemplo desses elementos. Descendo do tecto do salão de beleza no piso de entrada até ao spa subterrâneo, une os dois locais visualmente e sublinha a importância que a luz colorida tem na abordagem do Maximus ao bem-estar. A técnica Illumination Enhancement, a utilização de luzes coloridas para reequilibrar o corpo e reduzir o stresse, é posta em prática em várias partes do spa. Uma sessão de massagens poderá ser banhada a verde, azul, cor de laranja... ou qualquer uma das mais de 6,7 milhões opções de iluminação. Fiéis ao espírito de fusão do ambiente em que se enquadra, os tratamentos recorrem a técnicas europeias, indianas e orientais. A Viagem da Água, o tratamento especial do spa, funde terapias numa odisseia aquática que começa com uma esfoliação, seguindo-se uma passagem pela piscina de hidroterapia, imersão numa queda de água circular e uma massagem de corpo inteiro.

TRATAMENTO ESPECIAL: VIAGEM DA ÁGUA

Maximus Soho
15 Mercer Street
New York, NY 10013
United States

TEL: +1 212 4313333
FAX: +1 212 4315177
EMAIL: info@maximusspasalon.com
WEBSITE: www.maximusspasalon.com

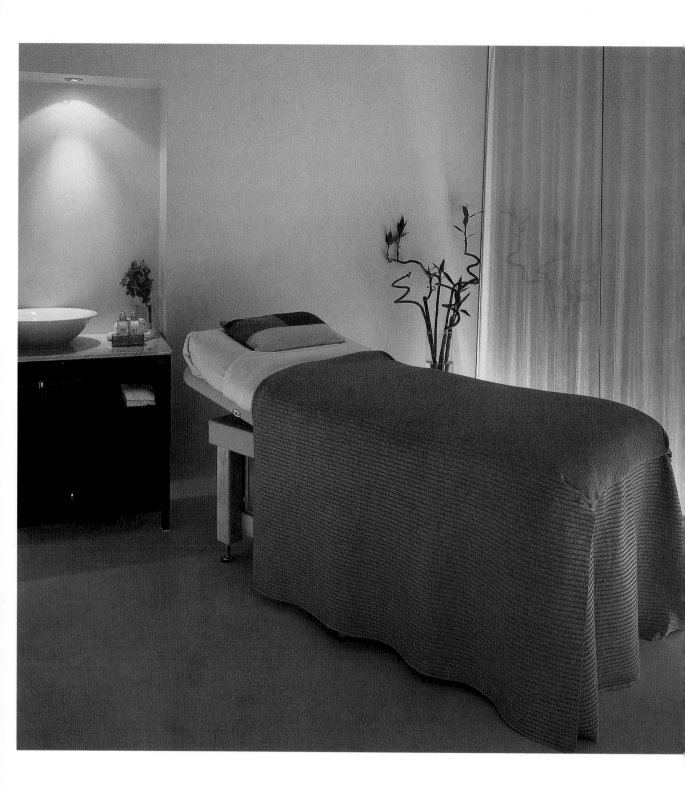

The Kiawah Island Club's Sasanqua

El golf es lo que da fama a Kiawah Island, pero lo importante para el elegante balneario es el lujo y el reposo. Ubicado en una peque-ña isla atlántica cercana a Charleston (Carolina del Sur), el Sasanqua Spa es un idílico refugio que domina un paisaje de bonitos pá-ramos y prados de hierba ondulante. El balneario recibe su nombre de una variedad de camelia abundante en la isla; su creador, el eminente diseñador Clodagh, deseaba integrar la naturaleza en el proyecto. Basta un vistazo para constatar la calma que ofrecen los 840 m² de esta estructura de madera, decorada con madera de ciprés, estuco y tejas de corteza de álamo. En el interior se han empleado materiales naturales que complementan a la perfección el entorno natural. El balneario integra el espacio que rodea las instalaciones, de modo que los tratamientos son tanto interiores como exteriores. Al visitante le basta con asomarse a la puerta para deleitarse en la contemplación de las aves locales, por ejemplo. Frente a la impresionante puerta de entrada, recubierta de bronce, encontramos una no menos espectacular piscina de rebosadero continuo con rocas de río en el fondo que invitan a la reflexión y la contemplación. En el interior, los tratamientos exclusivos de Sasanqua incorporan numerosos ingredientes autóctonos de los distintos ambientes de la isla, en especial el jardín, el pantano y el mar. En Sasanqua, la oferta abarca tratamientos tradicionales, ayurvédicos, masajes con piedras y un programa especial para golfistas, que incluye masajes faciales y reflexología para que el jugador entusiasta se recupere.

TRATAMIENTO CARACTERÍSTICO: MASAJE SASANQUA

Il golf regna sovrano nella Kiawah Island, ma il lusso e il relax sono gli obiettivi di quest'elegante centro benessere. Situato su un'isola di barriera dell'Atlantico vicino a Charleston, nella Carolina del Sud, il complesso del Sasanqua Spa è un rifugio idilliaco affacciato su acquitrini balsamici e erba che gentilmente si aggrinzisce. Il centro, che prende il nome da una varietà di camelie che cresce sull'isola, è stato creato dal famoso designer Clodagh, che ha voluto sposare la natura con un ambiente rilassante. La struttura di legno che si svi-luppa su una superficie di oltre 840 metri quadrati, con i rivestimenti di cipresso, stucchi e pannelli di sughero, infonde tranquillità a prima vista. In tutto l'ambiente sono stati inseriti materiali naturali che si fondono perfettamente con l'ambiente circostante. Il centro benessere diventa un tutt'uno con l'ambiente per dare modo agli ospiti di vivere un'esperienza interiore ed esteriore. La maestosa porta d'ingresso rivestita di scaglie di rame si spalanca su una fantastica piscina con bordi a sfioro e rocce di fiume, che invita alla riflessione e alla contemplazione. All'interno, i trattamenti esclusivi del centro utilizzano gli ingredienti indigeni provenienti dalle zone limitrofe di Kiawah, raccolti soprattutto dal giardino, dagli acquitrini e dal mare. Oltre ai tradizionali servizi termali, Sasanqua offre trattamen-ti ayurvedici, massaggi con pietre, e uno speciale pacchetto per gli appassionati di golf, non a caso denominato Golfer's Advantage, che prevede un trattamento viso e uno secondo la tecnica della riflessologia, per fornire un provvido rinvigorimento.

TRATTAMENTO ESCLUSIVO: MASSAGGIO SASANQUA

O golfe é o principal atractivo de Kiawah Island, mas o luxo e o relaxamento são os objectivos do elegante spa. Localizado numa ilha atlântica perto de Charleston, na Carolina do Sul, o Sasanqua Spa é um retiro idílico com vista para uma balsâmica zona pantanosa e ervas que dançam numa ondulação suave. Com o nome inspirado numa variedade de camélia prevalecente na ilha, o Sasanqua foi con-cebido pelo famoso designer Clodagh, que comungou com a natureza para criar este retiro relaxante. Dominada pelo cipreste, estuque e mosaicos de choupo, esta estrutura de madeira de 840 metros quadrados sugere tranquilidade à primeira vista. Os materiais naturais, que complementam perfeitamente a paisagem circundante, são utilizados em abundância. O spa integra-se de forma soberba no local onde está implantando, valorizando o interior e o exterior. Os frequentadores do spa podem fazer uma pausa para observar as aves autóctones, bastando para tal fazerem um passeio no exterior do edifício. Logo à frente da impressionante porta da frente revestida a cobre surge a magnífica piscina com seixos, enquadrada no infinito, estimulando a reflexão e a contemplação. No interior, os tratamentos especiais do Sasanqua incorporam ingredientes da zona envolvente de Kiawah, mais concretamente do jardim, dos pântanos e do mar. O Sasanqua propõe serviços de spa tradicionais a par de tratamentos ayurvédicos, massagem com pedras e o pacote especial Golfer's Advantage, que inclui um tratamento de rosto e reflexologia para proporcionar a manutenção essencial aos jogadores de golfe mais entusiastas.

TRATAMENTO ESPECIAL: MASSAGEM SASANQUA

The Kiawah Island Club's Sasanqua
10 River Course Lane
Kiawah Island, SC 29455
United States

TEL: +1 843 7685725
FAX: +1 843 7685727
EMAIL: eryn–litos@kiawahisland.com
WEBSITE: www.kiawahisland.com

The Spa at Sundance

Sundance, ubicado al pie del sistema montañoso de Wasatch Range, en Utah, ha sido refugio de artistas y aficionados a la naturaleza desde que Robert Redford compró el terreno en 1969. Desde entonces, Sundance ha crecido hasta convertirse en un enorme complejo rural dotado de instalaciones para talleres, deportes de invierno, amantes de la hípica y gente necesitada de reposo. La repercusión del Festival de Cine de Sundance y del Canal Sundance ha hecho del complejo de 90-100 habitaciones y su balneario adyacente un centro de elite, al que artistas y famosos acuden en busca de un entorno natural. No obstante, Sundance quiere permanecer fiel a sus raíces; nada es frío ni antipático aquí. Los sioux conocían el emplazamiento del balneario como *Hocoka*, término que designa un entorno sagrado en el que el espíritu reposa y el cuerpo se tonifica. El balneario de Sundance tiene como prioridad la conservación de un entorno relajante, e incluye elementos tradicionales de los nativos americanos en sus tratamientos. Así sucede, por ejemplo, con el masaje con piedras Sundance, en el que se aplican piedras calientes de basalto sobre el cuerpo para relajar los músculos; cada piedra representa una dirección, un color, un animal y un ciclo vital. No está permitido el uso de teléfonos móviles ni buscas, y el personal se esfuerza por hacer del interior del balneario una «zona de susurros». Ni siquiera los teléfonos hacen ruido: una luz parpadeante indica que se recibe una llamada.

TRATAMIENTO CARACTERÍSTICO: MASAJE CON PIEDRAS CALIENTES

Sundance, ai piedi del Wasatch Range, nello Utah, è diventato il rifugio di artisti e appassionati della natura da quando Robert Redford ha acquistato la proprietà nel 1969. Da allora, Sundance è diventato un enorme complesso rustico con possibilità di andare in barca, sciare, andare a cavallo e rilassarsi completamente. Con la crescente popolarità del Sundance Film Festival e del Sundance Channel, il complesso con 90-100 camere e l'annesso centro benessere sono diventati uno status symbol per le star e gli artisti che cercano un rifugio a contatto con la natura. È chiaro, però, che Sundance vuole mantenersi fedele alle sue radici. Non c'è niente di freddo o non invitante in Sundance. Detto anche «Hocoka», il termine con cui gli indiani Sioux indicavano un ambiente sacro per ristorare lo spirito e migliorare il corpo, il centro benessere di Sundance ha come priorità quella di preservare un ambiente tranquillo che utilizza per i trattamenti le risorse tradizionali dei Nativi Americani. I trattamenti incarnano fedelmente questo principio con il Sundance Stone Massage, per esempio, che consiste nella collocazione sul corpo di pietre di basalto calde, ognuna delle quali rappresenta una direzione, un colore, un animale e un ciclo vitale diversi, per rilassare i muscoli. L'uso di cellulari e cercapersone è vietato e il personale s'impegna a far rispettare la «zona del bisbiglio». Perfino i telefoni del centro non squillano – lampeggiano!

TRATTAMENTO ESCLUSIVO: MASSAGGIO CON PIETRE CALDE

Sundance, no sopé da cadeia montanhosa de Wasatch no Utah, tem acolhido muitos artistas e «aficionados» da natureza desde que Robert Redford comprou a propriedade em 1969. Desde então, Sundance evoluiu e tornou-se um enorme complexo rústico com instalações para ofícios artesanais, desportos de neve, equitação e relaxamento total. Com o crescimento do Festival de Cinema de Sundance e do Sundance Channel, o *resort* de 90-100 quartos e o spa adjacente criaram uma imagem de elite entre as celebridades e artistas que procuram um retiro natural. Todavia, é bem claro que Sundance pretende continuar fiel às suas origens e não há nada frio ou pouco acolhedor neste local. Denominado «Hocoka», o termo utilizado pelos Sioux para designar um ambiente sagrado para reequilibrar o espírito e tonificar o corpo, o Spa at Sundance procura manter um ambiente sereno que utiliza as origens nativas americanas nos respectivos tratamentos. Os programas terapêuticos exprimem essa vontade em opções como a Massagem com Pedras Sundance, que utiliza pedras de basalto quentes colocadas sobre o corpo para relaxar os músculos, representando cada pedra uma direcção, cor, animal ou ciclo de vida diferente. Os telemóveis e os *pagers* são proibidos e os empregados esforçam-se para que no spa pouco mais se ouça do que alguns sussurros. Nem sequer os telefones do spa tocam, piscam!

TRATAMENTO ESPECIAL: MASSAGEM COM PEDRAS QUENTES

The Spa at Sundance
Sundance, RR3 Box A-1
Sundance, UT 84604
United States

TEL +1 801 2254107
FAX +1 801 2261937
EMAIL reservations@sundance-utah.com
WEBSITE www.sundanceresort.com

Amangani

El Amangani (también llamado «el hogar reposado») es un complejo discreto y apacible; constituye la primera incursión de Amanresort en el mercado norteamericano. Este paraíso de 40 *suites* repartidas en tres pisos se alza al borde de un precipicio, 2.100 metros por encima del nivel del mar: desde él pueden contemplarse las montañas y los terrenos sin fin del Oeste americano. Amangani combina numerosas influencias culturales indígenas con el paisaje natural del entorno y la elegancia rústica del estilo del Oeste tradicional. Las asombrosas vistas no sólo son apreciables desde los espacios públicos. Tanto las habitaciones como los baños, el gimnasio, el restaurante e incluso la piscina exterior climatizada gozan del espectáculo de las montañas y los atardeceres de Wyoming. En la edificación del Amangani se empleó arenisca de Oklahoma, secuoya, abeto de Douglas y otras maderas autóctonas, que otorgan al conjunto un innegable encanto rústico. El centro de salud se compone de dos salas de ejercicios con acabados en secuoya, cuatro salas de tratamiento y saunas separadas para hombres y mujeres. El gimnasio ofrece diversos programas individualizados de aeróbic, yoga y meditación. El tratamiento de masaje hidráulico se sirve de una cama con cojines anatómicos diseñados para acomodar cuerpos doloridos. El visitante tiene también a su disposición tratamientos faciales y corporales con fangos, sales y algas marinas; el salón de belleza ofrece asimismo servicio de peluquería y tratamientos de acondicionamiento, así como manicura y pedicura.

TRATAMIENTO CARACTERÍSTICO: TRATAMIENTOS CORPORALES CON ALGAS MARINAS

L'Amangani, noto come «la casa tranquilla», è un complesso appartato e sobrio, il primo dell'Amanresort nell'America settentrionale. Questo paradiso che consta di 40 suite dislocate su tre piani è situato su una vetta di oltre 2.100 metri, che domina le montagne e il paesaggio sconfinato del West americano. Il complesso dell'Amangani è un riuscito connubio di influenze culturali indigene e contorni naturali del paesaggio con l'eleganza rustica dello stile *western* tradizionale. Le spettacolari vedute non si limitano agli spazi comuni. Ogni camera, ogni bagno, il centro benessere, il ristorante e anche la piscina scoperta riscaldata godono dello stesso incomparabile spettacolo delle montagne e dei tramonti del Wyoming. L'utilizzo di arenaria dell'Oklahoma, della sequoia del Pacifico, dell'abete del Douglas e di altri legnami nativi conferiscono al complesso un'eleganza rustica. Il centro benessere comprende due sale per l'attività fisica rivestite con legno di sequoia, quattro cabine per i trattamenti e sale di vapore separate per uomini e donne. La palestra offre una serie di programmi individuali quali aerobica, yoga e meditazione. Il massaggio con trattamento idraulico prevede un letto contornato da cuscini specificamente destinati a dare sollievo a corpi doloranti. Sono disponibili anche trattamenti viso e trattamenti corpo separati a base di fanghi, sali e alghe, mentre presso il salone di bellezza si possono prenotare taglio di capelli, trattamenti idratanti, manicure e pedicure.

TRATTAMENTO ESCLUSIVO: TRATTAMENTI CORPO A BASE DI ALGHE MARINE

Instalado numa propriedade privada e simples, o Amangani, conhecido como a «casa serena», é a primeira aventura da Amanresorts na América do Norte. Este paraíso com 40 suites distribuídas por três andares está implantado na ponta de uma falésia 2100 metros acima do nível do mar, com vista para as montanhas e para a infindável vastidão do oeste americano. O Amangani reflecte uma mistura de influências culturais indígenas e contornos paisagísticos com a elegância rústica do estilo ocidental tradicional. As vistas arrebatadoras não se limitam ao espaço público: todos os quartos, todas as casas de banho, o *health club*, o restaurante e até a piscina exterior aquecida gozam do mesmo espectáculo das montanhas e do pôr-do-sol do Wyoming. Os materiais utilizados no Amangani, como o grés de Oklahoma, sequóia do Pacífico, douglásia e outras madeiras autóctones, conferem ao *resort* um charme rústico. O Health Center é composto por dois estúdios de exercícios com acabamentos em sequóia, quatro salas de tratamento e dois banhos turcos: um masculino e um feminino. O ginásio propõe vários programas de acompanhamento individual tais como aeróbica, ioga intensivo e meditação. A massagem de tratamento hidráulica é aplicada numa cama de contornos almofadados concebida especificamente para reconfortar corpos doridos. Estão ainda disponíveis tratamentos de rosto e tratamentos de corpo individuais à base de argila, sal e algas marinhas, ao passo que os cortes de cabelo, tratamentos de condicionamento profundo, *manicures* e *pedicures* podem ser marcados no salão de beleza.

TRATAMENTO ESPECIAL: TRATAMENTOS DE CORPO À BASE DE ALGAS MARINHAS

Amangani
1535 North East Butte Road
Jackson, WY 83001
United States

TEL: +1 307 7347333
FAX: +1 307 7347332
EMAIL: amangani@amanresorts.com
WEBSITE: www.amanresorts.com

Oceania

Bedarra Island

Pocas islas hay más románticas y exclusivas que ésta. En Bedarra, el champán fluye a raudales, diariamente se sirven canapés puerta por puerta al atardecer y por doquier asoman tumbonas a disposición de los adoradores del sol. Es, por así decir, la versión *de luxe* de unas vacaciones con gastos pagados: los huéspedes abonan un precio por el conjunto que les permite comer, beber y usar las instalaciones a su antojo. Las cien hectáreas de la isla (situada frente a la costa norte de Queensland, en el famoso Gran Arrecife de Coral) albergan selvas vírgenes, playas recónditas de palmeras mecidas por la brisa, y 16 espectaculares villas ocultas entre los árboles. Los dos pabellones frente a la playa de Wedgerock Bay se caracterizan por sus paredes de vidrio y techos de madera así como por sus piscinas privadas y por unos baños descomunales, que incluyen gigantescas bañeras y una cama flotante especialmente construida. Si lo que desea es disfrutar de la tecnología y de las mejores vistas posibles, no dude en reservar The Point, una villa a dos niveles a la que se accede a través de un sendero del bosque y que cuenta con un espacioso salón, despacho y televisor de plasma. Diversos masajes, tratamientos faciales y terapias están a disposición del cliente en el centro de tratamientos frente a la playa (pruebe el masaje *kodo*, que incluye técnicas aborígenes y aceites esenciales autóctonos); en el Spa of Peace and Plenty de la isla Dunk, a 15 minutos en bote, el agasajo resulta aún más irresistible. En Bedarra le espera a su regreso un bar de autoservicio perfectamente surtido.

TRATAMIENTO CARACTERÍSTICO: MASAJE KODO

Il romanzo di un'isola privata non può essere più esclusivo di quanto si possa vivere in questo complesso; è la versione più lussuosa di una vacanza all-inclusive: gli ospiti acquistano il pacchetto completo e sono liberi di mangiare, bere e partecipare a tutte le attività che desiderano. Situata al largo della costa di Tropical North Queensland, sulla favolosa Grande Barriera corallina, l'isola, che occupa una superficie di circa 100 ettari, comprende una foresta pluviale tuttora incontaminata, spiagge deserte fiancheggiate da palme lussureggianti e 16 ville architettonicamente favolose, nascoste tra gli alberi. Due padiglioni fronte spiaggia che si affacciano su Wedgerock Bay hanno pareti di vetro a tutta altezza, solai di legno con vasche private, bagni molto spaziosi con vasche incassate nel pavimento e letti «galleggianti» fatti su misura. Se siete amanti dell'high-tech e volete godere dei panorami più belli, consigliamo di prenotare il *Point*, una villa a piani sfalsati, raggiungibile attraverso un vialetto privato che si snoda all'interno della foresta pluviale, dotata di ampio soggiorno con workstation e TV con schermo al plasma. Massaggi, trattamenti viso e vari tipi di terapie curative sono disponibili presso il centro benessere che affaccia sulla spiaggia (provate il massaggio Kodo, un insieme di tecniche aborigene e oli essenziali locali); se preferite essere ancora più coccolati, in appena 15 minuti in barca potete raggiungere il centro Spa of Peace and Plenty di Dunk Island. Di ritorno a Bedarra, vi attende l'open bar ben fornito, con self-service.

TRATTAMENTO ESCLUSIVO: MASSAGGIO KODO

Raras vezes o romantismo de uma ilha privada será tão exclusivo como o de Bedarra Island. Aqui, o champanhe corre livremente, todos os dias nos servem canapés do pôr-do-sol e as enormes camas para nos recostarmos durante o dia fazem as delícias de quem gosta de apanhar sol. É a versão mais sofisticada possível de umas férias com tudo incluído: os hóspedes pagam o preço do pacote e podem comer, beber e participar nas actividades do *resort* que quiserem. Localizada ao largo da costa do norte de Queensland, na Grande Barreira de Coral, a ilha de 100 hectares tem uma floresta tropical imaculada, praias recatadas com palmeiras ondulantes e 16 vivendas escondidas entre as árvores. Dois pavilhões com vista para a baía de Wedgerock, têm paredes de vidro de alto a baixo, varandas de madeira com tanques de imersão privativos e generosas casas de banho com banheiras profundas e camas «flutuantes» desenhadas à medida. Para ter acesso à alta tecnologia, reserve o Point, uma vivenda de pisos desnivelados a que chegamos através de um caminho aberto na floresta tropical. Lá dentro, aguardam-nos uma ampla zona de estar equipada com uma estação de trabalho e televisão com ecrã de plasma. Várias terapias regeneradoras estão à nossa disposição no centro de tratamentos com vista para a praia (não perca a massagem Kodo, que incorpora técnicas aborígenes e óleos essenciais da região). Quem quiser uma dose de mimos mais completa terá de se deslocar ao Spa of Peace and Plenty de Dunk Island, a 15 minutos de barco. No regresso a Bedarra, aguarda-nos um bar aberto devidamente abastecido em regime de *self-service*.

TRATAMENTO ESPECIAL: MASSAGEM KODO

Bedarra Island
Via Cairns & Dunk Island
Queensland
Australia

TEL: +61 7 40688233
FAX: +61 7 40688215
EMAIL: reservations@poresorts.com
WEBSITE: www.bedarraisland.com

Daintree Eco Lodge & Spa

El Daintree Eco Lodge & Spa, precursor del ecoturismo, consta de 15 tranquilas residencias aupadas entre los árboles de sus 12 hectáreas de frondosa selva tropical. La incorporación de la cultura y las tradiciones aborígenes en el concepto mismo del balneario es para sus responsables motivo de especial orgullo, por cuanto ayudan así a la tribu local de los kuku yalanji en la recuperación y promoción de su antiquísima cultura. Casi todos los tratamientos se basan en técnicas masajísticas y terapéuticas aborígenes. En todos se usan productos creados a partir de recursos locales, flora, tierra, minerales marinos... Además, los terapeutas del Daintree han adaptado las centenarias técnicas indígenas de curación integral. De entre estos tratamientos enriquecedores y purificadores destaca el *mala mayi*, que envuelve por completo el cuerpo en cálido fango *mapi*, para luego someter al huésped a una terapia de lluvia y opcionalmente a un masaje completo *kodo*. Bijaaril (el sueño) induce casi un agradable trance a través del cual reconecta cuerpo, mente y alma; en él se combinan tratamientos de manos, pies y cuero cabelludo, hidroterapia, masajes y un tratamiento facial. El Daintree tiene un amplio catálogo de actividades para los huéspedes con inquietudes ecologistas y conservacionistas, que incluyen observación de pájaros, submarinismo y buceo en la Gran Barrera de Coral, así como paseos por la selva acompañados por guías kuku yalanji. Tanto en el balneario como en el bosque, resulta evidente en todo momento la voluntad de integrar naturaleza y cultura indígena.

TRATAMIENTO CARACTERÍSTICO: MALA MAYI

Precursore del movimento del turismo ecologista, il complesso del Daintree Eco Lodge & Spa dispone di 15 ville appartate costruite tra i rami di una lussureggiante foresta tropicale, su una proprietà che si estende per circa 12 ettari. Il complesso di Daintree si vanta di amalgamare la cultura e la tradizione aborigena in tutti gli aspetti della struttura, contribuendo in tal modo a far conoscere e rivivere quest'antica cultura alla popolazione locale dei Kuku Yalanji. Quasi tutti i trattamenti si basano sulla medicina e sulla tecniche di massaggio aborigene. Tutti utilizzano prodotti a base di fiori, terra, minerali marini e piante australiani e i terapisti del centro hanno adattato tecniche curative olistiche indigene di origini secolari. I trattamenti emollienti e purificanti comprendono il trattamento esclusivo del centro, il Mala Mayi, che avvolge il corpo nel fango caldo Mapi, seguito dalla *rain therapy* e da un massaggio totale Kodo (a scelta). Il piacevole massaggio Bijaaril o il cosiddetto The Dreaming, che inducono uno stato quasi di trance, destinati a sintonizzare mente, corpo e anima, riuniscono in un'unica sessione trattamento di piedi, cuoio capelluto e mani, idroterapia e massoterapia (viso compreso). Il complesso mette a disposizione degli ospiti interessati alla sostenibilità e all'ambiente una serie di attività, tra cui *bird-watching*, immersioni o snorkeling per ammirare la Barriera Corallina Esterna, e camminate attraverso la foresta pluviale accompagnati dalle guide locali Kuku Yalanji. Nel centro benessere o nella foresta, l'accento sull'integrazione tra natura e cultura indigena è assolutamente evidente.

TRATTAMENTO ESCLUSIVO: MALA MAYI

Um pioneiro no movimento do eco-turismo, o Daintree Eco Lodge & Spa conta com 15 discretas casas na árvore implantadas no seio de 12 hectares cobertos de luxuriante floresta tropical. O Daintree orgulha-se de incorporar a cultura e a tradição aborígene em todos os aspectos do *resort*, ajudando deste modo o povo Kuku Yalanji, que habita a região, no processo de reaprendizagem e partilha da sua cultura ancestral. Quase todos os tratamentos se baseiam em mezinhas e técnicas de massagem aborígenes, e todos utilizam produtos à base da flora, terra, minerais marinhos e plantas australianas, tendo os terapeutas do Daintree adaptado seculares técnicas indígenas de cura holística. Entre os tratamentos nutritivos e purificadores inclui-se o emblemático tratamento corporal Mala Mayi, que envolve o corpo em lama Mapi morna, seguida de «terapia da chuva» e uma massagem opcional Kodo aplicada a todo o corpo. O agradável Bijaaril (sonho) induz um estado de transe, tendo sido concebido para reunificar a mente, o corpo e o espírito através da combinação de tratamentos de pés, couro cabeludo e mãos, hidroterapia, massagem e um tratamento de rosto. O Daintree tem um programa completo para os hóspedes interessados na sustentabilidade e no ambiente, incluindo observação de aves, mergulho ou *snorkeling* na Barreira de Coral Exterior e caminhadas na floresta tropical conduzidos por guias Kuku Yalanji locais. Quer seja no spa ou na floresta, o objectivo de integrar a natureza e a cultura indígena está bem presente.

TRATAMENTO ESPECIAL: MALA MAYI

Daintree Eco Lodge & Spa
20 Daintree Road
Daintree, Queensland 4873
Australia

TEL: +61 7 40986100
FAX: +61 7 40986200
EMAIL: info@daintree-ecolodge.com.au
WEBSITE: www.daintree-ecolodge.com.au

Namale

Namale nació de un sueño. Tony Robbins, su propietario, y su esposa Becky se sentaron como hechizados una noche bajo un manto de estrellas en esta remota aldea de Fiji perdida en el Pacífico Sur. Desde aquel momento, la pareja se propuso compartir el esplendor de la zona con el resto del mundo... y construyeron Namale. El complejo se encuentra al borde del mar de Koro, en Fiji, rodeado de selvas tropicales. Trece encantadoras chozas de techo de paja *(bures)* y dos residencias de mayor tamaño ofrecen vistas impresionantes desde sus terrazas privadas. Los *bures* son tan confortables que sus ocupantes se sienten a menudo tentados de no abandonar sus habitaciones; para animarles a descubrir el exuberante entorno, Namale pone a su disposición diversas actividades en grupo, que incluyen la versión local del juego de los bolos y submarinismo. Uno de los puntos favoritos de inmersión es Dreamhouse, una zona de puntas sumergidas en la que nadar entre bancos de cientos de peces. El balneario/santuario de Namale se alza al borde de un acantilado volcánico, y los enormes muros de vidrio fueron diseñados para aprovechar al máximo de las espectaculares vistas; es también el caso del *jacuzzi* transparente situado en la cima del acantilado. Los huéspedes pueden disfrutar de los masajes para parejas, hidroterapia, aromaterapia, tratamientos termales tradicionales y envolturas de algas marinas. El tratamiento más característico de Namale es el masaje tándem, en el que colaboran simultáneamente dos masajistas.

TRATAMIENTO CARACTERÍSTICO: MASAJE TÁNDEM

Namale ha avuto origine da un sogno. Il proprietario Tony Robbins e la moglie Becky se ne stavano seduti una sera come ammaliati dal magnifico cielo di stelle in questo villaggio remoto delle isole Fiji, nel Pacifico meridionale. Da allora, la coppia ha giurato che avrebbe condiviso le meraviglie del posto con il resto del mondo – così nacque l'idea di Namale. Il complesso sorge lungo il Mar di Koro nelle Fiji ed è circodato da cascate formate dalla foresta pluviale. Tredici cottage caratteristici con tetto di paglia *(bure)* e due ville più grandi offrono vedute spettacolari e pontile privato. I *bure* sono così confortevoli che gli ospiti potrebbero essere tentati a non lasciare mai i propri alloggi, ma per invitarli ad apprezzare le bellezze della zona, Namale mette a loro disposizione una serie di attività miranti a facilitare le relazioni sociali, tra cui bowling in stile fijano e immersioni. Tra i punti preferiti dai subacquei da ricordare Dreamhouse, la casa dei sogni, una secca dove si può nuotare tra branchi di centinaia di pesci. Il centro benessere del complesso di Namale si erge sulla sommità di una scogliera vulcanica; per permettere agli ospiti di godere a pieno dell'incantevole panorama circostante, la struttura è stata costruita con enormi vetrate e una vasca idromassaggio circondata da pareti di vetro proprio a strapiombo sulla scogliera. Gli ospiti possono crogiolarsi tra massaggi di coppia, idroterapia, aromaterapia, trattamenti termali tradizionali e impacchi di alghe marine. Un trattamento esclusivo del resort è il Namale Tandem Massage, in cui due terapisti lavorano insieme in perfetta armonia.

TRATTAMENTO ESCLUSIVO: NAMALE TAMDEM MASSAGE

Namale nasceu de um sonho. Certa noite, o proprietário Tony Robbins e a sua mulher Becky sentaram-se e deixaram-se enfeitiçar pela panóplia de estrelas que cobre esta remota aldeia fijiana escondida no Pacífico Sul. A partir desse momento, o casal jurou partilhar os esplendores da zona com o resto do mundo e assim construíram o Namale. O *resort* fica situado na extremidade do Mar de Koro em Fiji, rodeado por cascatas de floresta tropical. Treze exóticas cabanas com telhados de colmo *(bures)* e duas vivendas de maiores dimensões proporcionam vistas fantásticas e varandas privativas. Os *bures* são tão confortáveis que os hóspedes poderão sentir-se tentados a nunca saírem dos seus quartos, mas para os incitar a ir apreciar a luxuriante região, o Namale propõe actividades de grupo, incluindo uma peculiar pista de *bowling* ao estilo de Fiji e mergulho. «Dreamhouse» é um dos locais de eleição para a prática do mergulho, um pináculo onde podemos nadar no meio de cardumes com centenas de peixes. O Spa and Sanctuary do Namale está implantado à beira de uma falésia vulcânica e, para tirar partido da espectacular vista, foi concebido com generosas paredes de vidro e um jacuzzi rodeado de vidro no cimo da falésia. Os hóspedes podem deliciar-se com a massagem para casais, hidroterapia, aromaterapia, tratamentos de spa tradicionais e máscaras corporais de algas marinhas. Um dos tratamentos emblemáticos do *resort* é a Namale Tandem Massage, em que dois terapeutas trabalham em conjunto.

TRATAMENTO ESPECIAL: NAMALE TANDEM MASSAGE

Namale
PO Box 244
Savusavu
Fiji Islands

TEL: +679 8850435
FAX: +679 8850400
EMAIL: reservations@namaleresort.com
WEBSITE: www.namalefiji.com

Bora Bora Lagoon Resort

Situado en una pequeña isla a 240 km al noroeste de Tahití, el Bora Bora Lagoon Resort está rodeado por seis hectáreas de frondosa vegetación tropical; una playa de 400 metros lo acerca al mar, y sobre él se alza el cráter del monte Otemanu. El edificio sintoniza con el sabor local: techos polinesios de *pandanau*, maderas tahitianas y obras del artista tahitiano Garrick Yrondi expuestas en la zona de recepción. Los huéspedes pueden escoger entre las 79 cabañas con acceso al jardín, a la playa o directamente sobre el agua, al estilo polinesio; todas disponen de suelos de madera noble y techos de vigas vistas. Las cabañas sobre el agua, características del complejo, disponen de escalerillas que conducen directamente desde el solario hasta las aguas de la laguna. El hotel cuenta asimismo con numerosas instalaciones deportivas y es posible practicar buceo, *windsurf*, piragüismo, hacer excursiones en helicóptero y en barcos con fondo de cristal, salir al mar para alimentar a los tiburones y recorrer las montañas en todoterreno. El Bora Bora Lagoon es famoso por su pícnic *motu*: la organización traslada al huésped a una isla desierta (*motu*, en la lengua local) y, mientras éste bucea o toma el sol, se le prepara una barbacoa de langostas frescas. En el hotel, los huéspedes pueden recibir masajes tradicionales en los que se emplea el aceite de un coco local, llamado *monoi*.

TRATAMIENTO CARACTERÍSTICO: MASAJE CON ACEITE DE MONOI

Ubicato su un'isoletta a circa 240 km a nord-ovest di Tahiti, il complesso del Bora Bora Lagoon Resort è circondato da 6 ettari di vegetazione tropicale lussureggiante, con 400 metri di spiagge di sabbia bianchissima e impalpabile, alle pendici del vulcano Otemanu. L'architettura del complesso si rifà allo stile locale con tetti di pandanau polinesiano, legni tahitiani e dipinti del pittore tahitiano Garrick Yrondi che adornano la reception. I 79 bungalow per gli ospiti sono ubicati in giardino, lungo la spiaggia o su palafitte in stile polinesiano, ed hanno tutti pavimenti di legno e soffitti di travi a vista. Dai bungalow a palafitta, che sono la caratteristica distintiva del complesso, una scaletta consente una facile discesa direttamente nelle acque cristalline della laguna. Molto ricca è l'offerta di sport acquatici, da snorkeling a windsurf e kayak; sono previsti giri in elicottero, escursioni in barche dal fondo trasparente per ammirare i fondali, escursioni per andare a dare da mangiare agli squali e safari in jeep in montagna. Il complesso è famoso per il *motu picnic*: si raggiunge un'isola deserta (*motu*, nella lingua locale) e mentre voi ammirate i pesci o prendete il sole, il personale preparerà una grigliata di aragoste freschissime. Al centro benessere, gli ospiti possono apprezzare il piacere di un massaggio eseguito con *monoi*, un tipico olio di cocco locale.

TRATTAMENTO ESCLUSIVO: MASSAGIO CON OLIO DI MONOI

Localizado numa pequena ilha 240 quilómetros a noroeste do Taiti, o Bora Bora Lagoon Resort encontra-se rodeado por 6 hectares de luxuriante vegetação tropical, bordejado por 400 metros de praias de areia branca e à sombra do pico vulcânico do Monte Otemanu. A arquitectura do *resort* adquire um charme local com os telhados polinésios de pandanau, madeiras do Taiti e pinturas do artista taitiano Garrick Yrondi na zona da recepção. Os hóspedes têm à escolha 79 *bungalows* polinésios no jardim, na praia ou sobre a água, todos eles com pavimento de madeira dura e tectos com vigas descobertas. Os emblemáticos *bungalows* sobre a água do *resort* têm escadas que vão das solarengas varandas directamente para as águas da lagoa. O *resort* dispõe de amplas instalações desportivas, com uma oferta que contempla mergulho, windsurf, caiaques, passeios de helicóptero, passeios de barco com fundo de vidro, excursões para alimentar tubarões e safaris de jipe na montanha. Famoso é também o «piquenique motu»: o *resort* transporta-nos até uma ilha motu deserta e, enquanto praticamos mergulho ou tomamos banhos de sol, preparam-nos uma lagosta fresca na brasa. No *resort*, os hóspedes podem deliciar-se com uma massagem tradicional executada com um óleo de coco local chamado *monoi*.

TRATAMENTO ESPECIAL: MASSAGEM COM ÓLEO DE MONOI

Bora Bora Lagoon Resort
Motu Toopua
BP 175 – 98730 Vaitape
Bora Bora, French Polynesia

TEL +689 604000
FAX +689 604001
EMAIL reservations@bblr.net
WEBSITE www.boraboralagoon.com

Mexico & South America

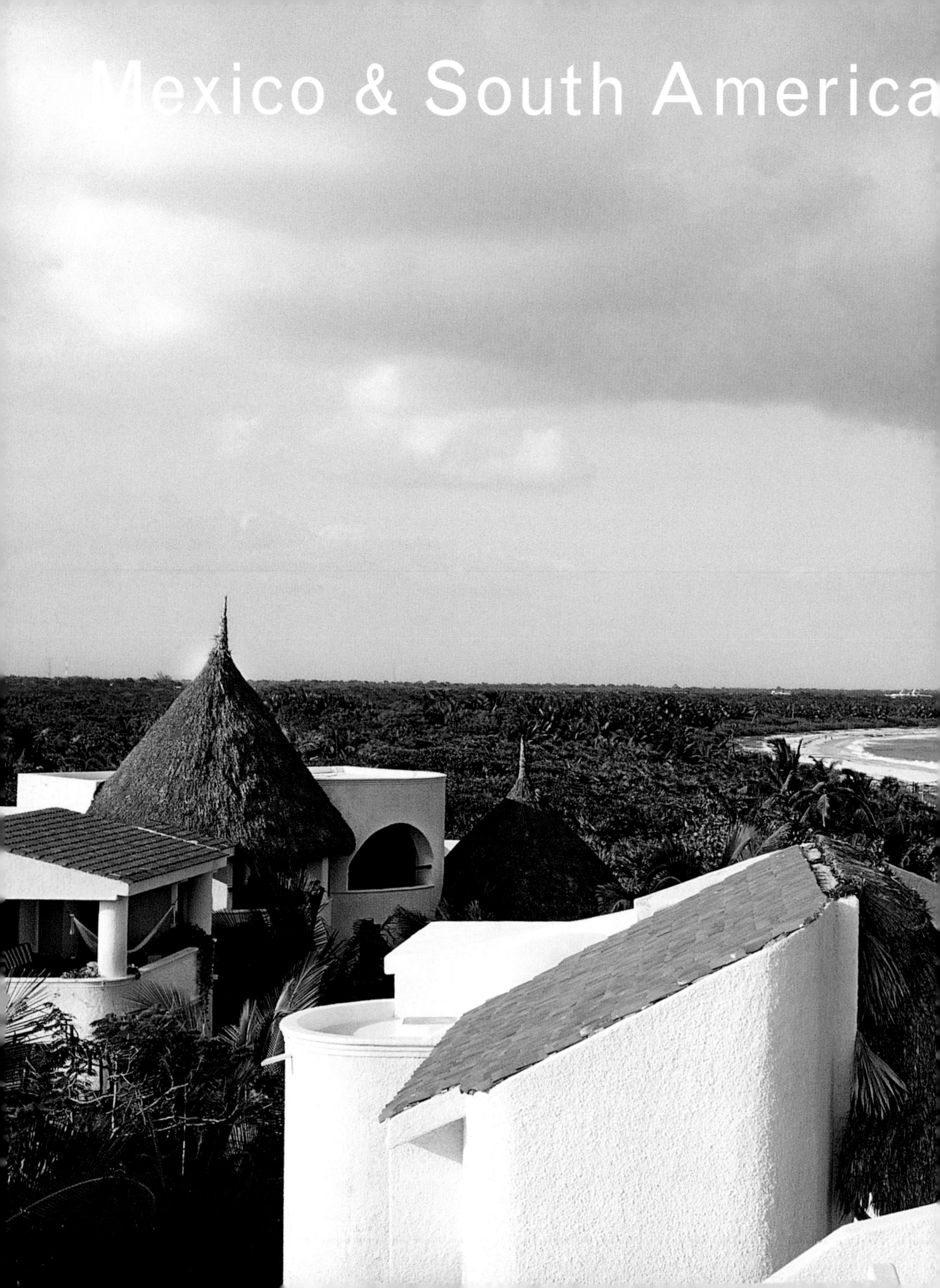

Esperanza

La mejor manera de describir Esperanza, un hotel de 56 *suites* en los acantilados de Punta Ballena, frente al Mar de Cortés, es hablar de «sofisticación descalza». Sus habitaciones, orientadas hacia el mar, presentan un mobiliario mexicano artesanal, alfombras tejidas especialmente para el hotel, suelos pintados y cuadros originales en las paredes. Se accede al balneario a través de la gruta, un pasillo de cuevas de vapor y cascadas que recuerda las grutas de la costa. El ritual comienza con una ducha al aire libre y un chapuzón, seguido de un baño de vapor, otro chapuzón bajo la cascada y una copa de zumos tropicales. En el interior, los colores cálidos y la riqueza de las texturas imitan el entorno costero de la Baja California. Verjas antiguas de hierro marcan el camino hacia las siete salas de tratamiento, que disponen de jardines propios y de piscinas a la sombra de una pérgola de buganvillas (una de las salas dispone de piscina para tratamientos *watsu* privados). El balneario emplea en sus tratamientos frutas tropicales, minerales del desierto y plantas autóctonas. El pulido corporal con papaya y mango emplea una pasta de ambos frutos rica en enzimas mezclada con harina de maíz para exfoliar la piel; otro tratamiento aplica máscaras de algas y arcillas que se secan luego al sol. En las envolturas corporales se utilizan vendas aromatizadas, y entre tratamiento y tratamiento los huéspedes pueden refrescarse frente a los vaporizadores.

TRATAMIENTO CARACTERÍSTICO: PULIDO CORPORAL CON PAPAYA Y MANGO

Sofisticatezza a piedi nudi è la parola d'ordine a Esperanza, un complesso che dispone di 56 suite, che sorge sulla scogliera di Punta Ballena, sul Mar di Cortez, nella penisola della Baja California. Mobili messicani lavorati a mano, tappeti realizzati su misura, pavimenti dipinti e oggetti d'arte originale addobbano le stanze, tutte affacciate sul mare. Gli ospiti entrano al centro benessere attraverso la *gruta*, una serie di grotte di vapore e cascate che ricordano tanto una grotta marina. Il rituale ha inizio con una doccia all'aperto e con un'immersione in acqua sorgente tiepida, cui segue un bagno di vapore, prima di sciacquarsi sotto una cascata e sorseggiare un bicchiere di succo tropicale. All'interno, colori solari e tessuti morbidi richiamano l'ambiente costiero della Baja California. Cancelli di ferro d'antiquariato conducono ad ognuna delle sette sale destinate ai trattamenti, ognuna con giardino e piscina indipendente riparati da pergolati di latilla e bouganville. (Una sala ha una vasca per trattamenti watsu privati.) Gli ingredienti utilizzati dal centro benessere comprendono frutti tropicali, minerali del deserto e piante indigene. Il Papaya Mango Body Polish utilizza una poltiglia di papaia e mango arricchita da enzimi insieme a farina di mais per esfoliare la pelle; il Couple's Clay Bake, invece, consiste nell'applicazione di una maschera di alghe marine e argilla che si secca naturalmente al sole. I bendaggi sono eseguiti con tele profumate al lime e distributori di acqua fresca sono a disposizione degli ospiti che attendono di essere sottoposti ai trattamenti.

TRATTAMENTO ESCLUSIVO: PAPAYA MANGO BODY POLISH

A sofisticação despojada está na ordem do dia no Esperanza, um resort com 56 suites nas escarpas de Punta Ballena com vista para o Mar de Cortez em Baja. O mobiliário artesanal mexicano, os tapetes feitos por encomenda, os pavimentos pintados e as obras de arte originais decoram os quartos, todos com vista de mar. Os hóspedes entram no spa através da gruta do spa, uma série de cavernas vaporosas e quedas de água que fazem lembrar uma furna à beira-mar. O ritual começa com um duche ao ar livre e um banho de imersão em água quente de nascente, seguida de um banho a vapor, lavagem numa queda de água e um copo de sumo de frutos tropicais. No interior, dominam as cores quentes e texturas ricas que imitam o ambiente da orla costeira de Baja. Os portões de ferro antigos conduzem a cada uma das sete salas de tratamentos, as quais dispõem de jardins privativos e tanques de imersão à sombra de canapés de zinco e boganvílias. (Um quarto tem uma piscina para tratamentos watsu privativos.) Entre os ingredientes propostos no menu do spa incluem-se frutos tropicais, sais minerais do deserto e plantas da região. O Papaya Mango Body Polish combina manga e papaia esmagada, ricas em enzimas, com farinha de milho para esfoliar a pele. O Couple's Clay Bake utiliza uma máscara de algas marinhas e argila que seca naturalmente ao sol. Nas máscaras corporais são utilizados panos aromatizados com lima e os hóspedes são refrescados com borrifadores de água enquanto descansam entre tratamentos.

TRATAMENTO ESPECIAL: PAPAYA MANGO BODY POLISH

Esperanza

Carretera Transpeninsular Km 3.5
Cabo San Lucas, San Jose Del Cabo
Baja California Sur, 23140 Mexico

TEL: +52 624 1456400
FAX: +52 624 1456403
EMAIL: cjones@aubergeresorts.com
WEBSITE: www.esperanzaresort.com

Las Ventanas al Paraíso

Situado en el extremo de la península de Baja California, allí donde el mar de Cortés se convierte en el Pacífico, Las Ventanas al Paraíso encarnan la rica tradición arquitectónica de México. Los redondeados muros de adobe y las puertas de cedro talladas a mano del complejo abren paso a 61 espaciosas *suites* dotadas de camas de matrimonio, suelos de piedra y guijarros engastados, y chimeneas de terracota. Los cuadros, la alfarería y los murales que adornan el complejo llenan de color los interiores, mientras una serie de lagunas y piscinas de rebosadero continuo se hacen eco del profundo azul del mar. Los tratamientos oscilan entre las técnicas *tepezochuite* empleadas por los antiguos mayas y otros rituales y terapias curativas, que van desde la fitoterapia hasta la medicina vegetal. La envoltura curativa *tepezochuite* es originaria de Chiapas y se usa en casos agudos de insolación y formación de ampollas; el tratamiento Purificación del Desierto, en el que se emplea arcilla volcánica para la exfoliación y eliminación de toxinas, se inspira en ceremonias mayas y aztecas. También hay tratamientos de acupuntura y terapias vibratorias, de goteo y ayurvédicas a disposición del cliente. Los masajes pueden recibirse en el pabellón de la playa o bien a bordo del yate de 17 metros de eslora propiedad del hotel. Es posible incluso contratar masajes antiestrés para los animales domésticos. Cuando cae la noche, un servicio de aromaterapia permite a los huéspedes elegir un aceite esencial (cuyas propiedades oscilan entre la liberación de estrés y el equilibrado de la euforia) que pueden prender en pequeños hogares junto a la cama.

TRATAMIENTO CARACTERÍSTICO: PURIFICACIÓN DEL DESIERTO

Sulla sommità della penisola della Baja California, dove il Mar di Cortez incontra il Pacifico, il complesso alberghiero di Las Ventanas al Paraíso rappresenta il ricco patrimonio architettonico del Messico. Lisce pareti di adobe e porte di cedro lavorate a mano conducono a 61 ampie suite con letti a baldacchino, pavimenti di pietra con intarsio e caminetti di terracotta. Quadri vivaci, vasi e murali danno colore agli interni, mentre una serie di vasche e piscine senza bordi richiamano il blu profondo del mare. I trattamenti disponibili presso il centro benessere si rifanno alle tecniche Tepezochuite usate dagli antichi Maya, come anche ad altre terapie olistiche e rituali – dalla fitoterapia all'omeopatia. Il bendaggio curativo Tepezcohuite era utilizzato dai Chiapas per lenire eritemi solari gravi con formazione di vesciche; il trattamento esfoliante e disintossicante che prende il nome di Purificazione del Deserto, a base di argilla vulcanica, è stato ispirato dalle cerimonie azteche e maya. Sono, inoltre, disponibili agopuntura, terapie energetiche, Raindrop Therapy, e trattamenti ayurvedici. I massaggi possono essere effettuati nel padiglione lungo la spiaggia oppure a bordo dello yacht di 17 m di proprietà del complesso; il centro benessere offre anche la possibilità di prenotare massaggi miranti a ridurre le tensioni del collo che affliggono gli animali domestici. La sera, un servizio di aromaterapia nella privacy della propria camera permette agli ospiti di scegliere tra una selezione di oli essenziali – da quello antistress a quello equilibrante – che sono poi dispersi in piccoli bracieri collocati ai piedi del letto.

TRATTAMENTO ESCLUSIVO: PURIFICAZIONE DEL DESERTO

Na extremidade da península de Baja California, onde o Mar de Cortez encontra o Pacífico, Las Ventanas al Paraíso personifica a rica herança arquitectónica do México. Paredes suaves de adobe e pavimentos de cedro feitos à mão conduzem a 61 generosas suites com camas altas, chão de pedra adornado com padrões de seixos e lareiras em terracota. Quadros com cores vivas, cerâmica e murais enchem os interiores com cor, sendo os exteriores marcados por uma série de lagos e piscinas enquadradas no infinito que ecoam o azul profundo do mar. Os tratamentos de spa vão buscar inspiração às técnicas tepezochuite utilizadas pelos antigos maias, assim como a outras terapias e rituais holísticos, desde a fitoterapia à medicina através das plantas. A máscara corporal medicinal tepezcohuite é típica de Chiapas, sendo utilizada em casos graves de queimaduras solares e bolhas. O tratamento Purificação do Deserto, em que é utilizada argila vulcânica para esfoliar e desintoxicar, foi inspirado em cerimónias azetecas e maias. Acupunctura, terapia vibracional, terapia das gotas da chuva e tratamentos ayurvédicos são outras propostas do spa. As massagens podem ser realizadas no pavilhão de praia ou a bordo do iate de 17 metros do *resort*. O spa até dispõe de massagens no pescoço para aliviar o stresse dos animais de estimação. À noite, o serviço de preparação do quarto com aromaterapia coloca à disposição dos hóspedes um menu de óleos essenciais – para aliviar o stresse ou equilibrar a exuberância – queimados em pequenas chaminés junto à cama.

TRATAMENTO ESPECIAL: PURIFICAÇÃO DO DESERTO

Las Ventanas al Paraíso
Carretera Transpeninsular Km 19.5
Cabo San Lucas, San Jose Del Cabo
Baja California Sur 23400, Mexico

TEL: +52 624 1442800
FAX: +52 624 1442801
EMAIL: lasventanas@rosewoodhotels.com
WEBSITE: www.lasventanas.com

Hotelito Desconocido

El Hotelito Desconocido es una *rara avis* en el mundo hotelero, por cuanto ofrece un armónico equilibrio entre el lujo y la pureza ecológica, el derroche y la belleza primigenia, desde su ubicación en un santuario de tortugas marinas y 150 especies de aves. Situado en la Costa Alegre, entre el Océano Pacífico y las montañas de la Sierra Madre (100 km al sur de Puerto Vallarta), el Hotelito fue concebido por Marcello Murzilli como un lugar en el que gozar de la naturaleza. Su diseño sigue las líneas de una aldea mexicana de pescadores, y así se aloja al visitante en palafitos (cabañas construidas sobre pilotes con magníficas vistas del estuario) simples pero llenos de encanto, que albergan 29 habitaciones y *suites*. Llegar al Hotelito al anochecer es entrar en un mundo mágico, en el que cientos de velas, antorchas y linternas se conjuran con las estrellas para iluminar los edificios y los senderos que serpentean de camino hacia «el mundo de la salud», nombre con el que se conoce el balneario. Tras cabalgar todo el día por la playa, o recorrer en bicicleta los alrededores, un masaje aromaterapéutico al aire libre o una terapia a la piedra (en la que se alternan cantos rodados calientes con frías planchas de mármol) liberan la tensión acumulada en los músculos. Y el regenerador Baño de la Sirena aprovecha ingredientes autóctonos (sales marinas y aceites esenciales de las plantas locales) para eliminar células muertas y toxinas, y devolver el brillo natural a la piel con sucesivos masajes.

TRATAMIENTO CARACTERÍSTICO: BAÑO DE LA SIRENA

Il complesso dell'Hotelito Desconocido è una perla rara nel mondo del turismo alberghiero-termale – un armonioso equilibrio di lusso e purezza ecologica, *pampering*, la piacevole arte di lasciarsi coccolare, e bellezza primitiva, ubicato in una riserva paludosa dove vivono tartarughe di mare e 150 specie di uccelli. In posizione privilegiata lungo la Costa Alegre, tra l'Oceano Pacifico e le montagne della Sierra Madre (100 km a sud di Puerto Vallarta), il complesso dell'Hotelito, alimentato a energia solare, è stato concepito da Marcello Murzilli come luogo per celebrare la natura piuttosto che per contenerla. Costruito secondo lo stile di un vecchio villaggio di pescatori messicano, le 29 camere degli ospiti e suite sono dislocate su semplici, ma graziose *palafitos*, bungalow ariosi costruiti su palafitte che dominano la foce dell'estuario. Arrivare al tramonto è come immergersi in un mondo magico, dove centinaia di candele, torce e fiaccole fanno a gara con le stelle per illuminare la struttura e i viali interni che si snodano attraverso la proprietà, la struttura del centro benessere – o «El Mundo de la Salud». Dopo una giornata trascorsa andando a cavallo lungo la spiaggia o in bicicletta tra i boschetti di palme, un massaggio con aromaterapia o una terapia con pietre (disposizione alternata sul corpo di ciottoli di fiume riscaldati e frammenti di marmo freddi) rilassa i muscoli contratti. E il ristoratore Mermaid Bath sfrutta ingredienti locali – sali marini e oli essenziali botanici – per eliminare cellule morte, disintossicare e massaggiare la pelle per restituirle un aspetto naturale.

TRATTAMENTO ESCLUSIVO: MERMAID BATH

O Hotelito Desconocido é um exemplo raro num mundo dos *resorts*: um equilíbrio harmonioso de luxo e pureza ecológica, mimos e beleza primitiva, situado numa reserva natural pantanosa para tartarugas marinhas e 150 espécies de pássaros. Implantado na Costa Alegre, entre o oceano Pacífico e as montanhas de Sierra Madre (100 quilómetros a sul de Puerto Vallarta), o Hotelito abastecido com energia solar foi concebido por Marcello Murzilli como um lugar para celebrar a natureza e não tanto para a conter. Inspirado na traça de uma antiga aldeia piscatória mexicana, os 29 alojamentos (quartos e suites) são simples mas adoráveis «palafitos», *bungalows* arejados construídos sobre estacas com vista para a margem do estuário. Chegar ao pôr-do-sol é entrar num mundo mágico, onde centenas de velas, tochas e luminárias conspiram com as estrelas para iluminar os edifícios e os caminhos que percorrem a propriedade onde fica localizado o spa «El Mundo de la Salud». Após um dia a andar de cavalo na praia ou de bicicleta nos bosques de palmeiras, uma massagem de aromaterapia ao ar livre ou uma terapia das pedras (alternando seixos quentes com pedras de mármore frias) alivia os músculos tensos. O retemperador Banho da Sereia inspira-se em ingredientes da região – sais marinhos e óleos essenciais extraídos de plantas – para suavizar e remover pele morta, purificar das toxinas e massajar a pele para lhe devolver o brilho natural.

TRATAMENTO ESPECIAL: BANHO DA SEREIA

Hotelito Desconocido
Carretera a Mismaloya 479-205, Edificio Scala
Puerto Vallarta, 48380 Mexico
Mexico

TEL +52 322 2814010
FAX +52 322 2814030
EMAIL hotelito@hotelito.com
WEBSITE www.hotelito.com

Maroma Resort & Spa

El Maroma Resort and Spa se alza en el centro de la Riviera Maya, en la península del Yucatán, considerada por muchos una de las mejores playas del mundo. En el acogedor diseño de sus 58 *suites* con muebles de caoba, cedrela y palosanto, cubrecamas de cachemira y fundas de lino se combinan para crear una decoración limpia y clásica a un tiempo. Los suaves tonos azules, grises y marfileños consiguen crear un ambiente tranquilo y distendido. La característica más llamativa del Maroma es su playa caribeña, inigualable emplazamiento para la práctica del buceo, la vela y el baño con los delfines. El completo programa de balneario del Maroma complementa estas agotadoras actividades con una escogida paleta de tratamientos. Quienes deseen un buen masaje pueden decantarse por la vertiente terapéutica o relajante de los mismos, con la posibilidad de disfrutarlos en zonas privadas frente a la playa. Los huéspedes pueden servirse también de las cámaras de flotación del balneario y someterse a tratamientos faciales, exfoliaciones integrales, *reiki* y aromaterapia. El Temazcal dura hora y media y tiene lugar en una pirámide subterránea; en ella, el terapeuta cuida y masajea el cuerpo al mismo tiempo. Es un ritual de purificación espiritual, que permite expulsar toxinas en un antiguo sudadero.

TRATAMIENTO CARACTERÍSTICO: TEMAZCAL

Il complesso del Maroma Resort and Spa sorge al centro della Riviera Maya, nella penisola dello Yucatan, ritenuta una delle spiagge più belle del mondo. Le gradevoli 58 suite dell'albergo sono arredate con mobili di mogano, cedrella, caoba e carpine, coperte di cashmere e biancheria di lino, che creano un caldo ambiente in stile classico. I morbidi toni del blu, talpa e avorio usati ovunque contribuiscono a creare un ambiente tranquillo e al tempo stesso casual. La caratteristica più evidente del complesso è la spiaggia sul Mar dei Caraibi messicano, il luogo ideale per fare snorkeling, andare in barca a vela e nuotare con i delfini. Il programma di trattamenti del centro benessere del Maroma offre un'ampia gamma di proposte per ritemprarsi dopo aver svolto queste attività che richiedono molta energia. Chi preferisce un bel massaggio può scegliere tra massaggi rilassanti o terapeutici, che si possono eseguire in zone private che affacciano sulla spiaggia. A disposizione degli ospiti sono anche le camere di galleggiamento, trattamenti per il viso, scrub esfolianti per il corpo, reiki e aromaterapia. Il Temazcal è una sessione di un'ora e mezzo fatta di manipolazioni e manovre, che il terapista effettua in una piramide sotterranea. È un rituale di purificazione spirituale, che permette di sudare ed espellere tossine in un'antica capanna per il sudore.

TRATTAMENTO ESCLUSIVO: TEMAZCAL

O Maroma Resort and Spa está situado no meio da Riviera Maia da Península de Yucatán, considerada uma das melhores praias do mundo. As 58 suites do Maroma ostentam um agradável design onde pontificam o mobiliário em mogno, cedro, caoba e pau-ferro, as colchas de casimira e os paninhos de linho, criando uma decoração clássica e simples. Os tons suaves de azul, castanho pardacento e marfim usados em abundância traduzem-se num ambiente tranquilo, mas informal. O aspecto mais marcante do Maroma é a praia caribenha mexicana, o lugar ideal para actividades como praticar mergulho, fazer vela e nadar com os golfinhos. O programa completo de spa do Maroma complementa estas actividades energéticas com um criterioso menu de tratamentos. Quem pretende uma boa massagem, tem à sua disposição opções relaxantes ou terapêuticas, as quais podem ser aplicadas nas áreas privativas da frente marítima. Os hóspedes também podem utilizar as câmaras de flutuação do spa e receber tratamentos de rosto, esfoliações corporais, reiki e aromaterapia. O Temazcal é uma sessão que dura uma hora e meia e tem lugar numa pirâmide subterrânea onde um terapeuta executa um tratamento baseado em exercícios corporais e massagens. É um ritual de purificação espiritual que nos permite libertar as toxinas numa câmara de transpiração ancestral.

TRATAMENTO ESPECIAL: TEMAZCAL

Maroma Resort & Spa
Carretera Cancún Tulum Km 51
Riviera Maya, Solidaridad,
CP 77710, Mexico

TEL: +52 998 8728200
FAX: +52 998 8728220
EMAIL: reservations@maromahotel.com
WEBSITE: www.orient-expresshotels.com

Verana

Situado en una ladera de Yelapa, en México, con vistas panorámicas del Océano Pacífico y de las montañas del Valle del Sierra Oriental, el Verana es un hotel íntimo a apenas 20 minutos de Puerto Vallarta. Sin embargo, el visitante puede sentirse en otro mundo entre el confort de una de las seis casas para los huéspedes. Todas disponen de jardines tropicales y combinan el estilo arquitectónico indígena con una concepción más moderna del diseño. El balneario ofrece tratamientos inspirados en su entorno, como el Baño Evasivo de Verana, clásica combinación de aromaterapia e hidroterapia a la luz de las estrellas, o el tratamiento facial Selvático, para el que se utilizan deliciosos ingredientes: pomelo, pepino, aloe y naranja. Un mayor relax es posible en la hermosa piscina manantial de Verana, con vistas semicirculares de las montañas y el mar, o incluso en la propia hamaca. Asimismo, Verana pone a disposición de sus huéspedes un amplio abanico de actividades y excursiones que incluyen piragüismo, pesca, avistamiento de ballenas y aves, montañismo y buceo. La cocina de Verana toma su inspiración de los productos frescos de la propiedad (mangos, plátanos, papayas, cocos, piñas), así como de la cocina tradicional precolombina. Es posible disfrutar de una selección de los mejores tequilas; ¡como si hiciese falta aliviar un poco tanta relajación!

TRATAMIENTO CARACTERÍSTICO: BAÑO EVASIVO DE VERANA

Situato su un pendio della collina di Yelapa, Messico, con vedute panoramiche dell'Oceano Pacifico e delle montagne della Valle del Sierra Oriental, il Verana è un complesso appartato che si trova ad appena 20 minuti a sud di Puerto Vallarta. Eppure avrete la sensazione di essere lontani dal mondo nella quiete delle sei esclusive sistemazioni che il Verana mette a disposizione dei propri ospiti. I sei cottage, che sono una perfetta commistione di costruzione indigena con la sensibilità del design moderno, sono immersi in verdeggianti giardini tropicali. Il centro benessere offre trattamenti ispirati al paesaggio circostante, quali Verana Bath Escapes, una combinazione di aromaterapia e idroterapia sotto le stelle, e il Jungle Facial, che utilizza ingredienti gradevoli come pompelmo, cetriolo, aloe e arancia. Un'atmosfera ancora più rilassante si gode nella meravigliosa piscina di acqua dolce del complesso, che offre una vista a 180° delle montagne e del mare circostanti, oppure lasciandosi crogiolare sull'amaca privata. Inoltre, gli ospiti del Verana hanno a disposizione una vasta gamma di attività ed escursioni, tra cui kayak, pesca, *whale-watching* e *bird-watching*, trekking e snorkeling. La cucina al Verana trae ispirazione dai prodotti freschi biologici coltivati all'interno del complesso – mango, banane, papaia, cocco, ananas – e dalla cucina tradizionale pre-ispanica. E se dopo tutto questo relax avete bisogno di «tirarvi su», potete scegliere tra una selezione delle migliori tequila.

TRATTAMENTO ESCLUSIVO: VERANA BATH ESCAPES

Aninhado numa encosta em Yelapa, México, com vistas panorâmicas para o oceano Pacífico e para as montanhas do Valle del Sierra Oriental, Verana é um *resort* intimista situado a apenas 20 minutos a sul de Puerto Vallarta. Todavia, o isolamento das seis residências exclusivas do Verana fazem-nos sentir como se estivéssemos muito longe dali. Os seis edifícios estão implantados em verdejantes jardins tropicais e combinam a construção indígena com a sensibilidade do design moderno. O spa propõe tratamentos inspirados na paisagem circundante, tais como o Verana Bath Escapes, uma exuberante combinação de aromaterapia e hidroterapia sob as estrelas, e o Jungle Facial que incorpora deliciosos ingredientes como toranja, pepino, aloés e laranja. A descontracção continua na bonita piscina de água nascente do Verana, com uma vista de 180° para as montanhas e o mar, ou numa cama de rede privativa. Além disso, o Verana oferece um vasto leque de actividades e excursões, incluindo andar de caiaque no oceano, pescar, observar baleias e aves, *trekking* e mergulho. A gastronomia do Verana baseia-se nos produtos biológicos frescos que são cultivados na propriedade – mangas, bananas, papaias, cocos e ananases – e vai buscar inspiração à cozinha tradicional pré-hispânica. À nossa disposição está ainda uma selecção das melhores tequilas, como se precisássemos de descontrair um pouco de tanto relaxamento!

TRATAMIENTO ESPECIAL: VERANA BATH ESCAPES

Verana
Calle Zaragoza No. 404, Colonia Centro
Puerto Vallarta, Jalisco 48304
Mexico

TEL +52 322 2095107
FAX no fax available
EMAIL ana@verana.com
WEBSITE www.verana.com

Explora en Patagonia

Explora en Patagonia es un oasis en el agreste paisaje de Chile que satisfará sus necesidades de aventura al tiempo que atenderá a su más mínimo deseo. Vale la pena visitar el impresionante parque nacional de Torres del Paine para gozar del espectáculo de sus picos glaciales y de la abundante flora y fauna del lugar. En palabras de los propietarios del hotel, «sabemos disfrutar de nuestro país y de su entorno natural ... un territorio por explorar, un lugar en el que descubrir remotos secretos». Explora considera que el mundo es un lugar lleno de secretos y maravillas naturales, e invita a sus huéspedes a indagar en ellos. Es posible practicar equitación, excursionismo y montañismo. Tras un día en el esplendor de los lagos, alimentados por los glaciares y las cumbres nevadas, puede uno permitirse un *jacuzzi* al aire libre, una reconfortante sauna, un masaje o un chapuzón en la piscina climatizada de la Casa de Baños del Ona. Este complejo ecoturístico de 28 habitaciones sin parangón anima a sus huéspedes a explorar el paisaje de las regiones más remotas de Chile, a aceptar el desafío (si así lo desean) para al cabo del día regresar a un mundo de lujo en forma de confortables lechos de plumas, cocina de *gourmet* y relajantes masajes suecos.

TRATAMIENTO CARACTERÍSTICO: MASAJE SUECO

Un'oasi nella natura lussureggiante e aspra del Cile, il complesso dell'Explora en Patagonia soddisferà gli amanti dell'avventura estrema, che al tempo stesso apprezzano il confort che solo le strutture a cinque stelle sanno offrire. Il suggestivo parco nazionale del Torres del Paine, con i suoi picchi glaciali e l'abbondanza di flora e fauna, merita senz'altro una visita. Come spiegano i proprietari dell'albergo, «noi conosciamo la nostra terra e la sua natura ... un territorio inesplorato, un luogo per scoprire i segreti del passato». Per il complesso dell'Explora en Patagonia, il mondo è un luogo fatto di segreti e meraviglie della natura e invita i propri ospiti a scoprire entrambi. Si può scegliere tra escursioni a piedi, trekking e passeggiate a cavallo. Dopo una giornata trascorsa tra lo splendore di laghi alimentati dai ghiacciai e di cime frastagliate innevate, concedetevi un'immersione in una jacuzzi all'aria aperta, una sauna rinvigorente, un massaggio o anche un bagno nella piscina coperta riscaldata della Casa del Baños del Ona. Questa «casa ecologica» senza uguali, che dispone di 28 camere, invita gli ospiti a esplorare l'ambiente naturale delle regioni remote del Cile, a mettersi alla prova (se lo desiderano) e poi a fine giornata tornare al lusso sotto forma di comodi letti di piume d'oca, cucina da gourmet e rilassanti massaggi svedesi.

TRATTAMENTO ESCLUSIVO: MASSAGGIO SVEDESE

Um oásis na exuberante e agreste paisagem do Chile, o Explora en Patagonia satisfaz os desejos de aventura mais extremos sem esquecer o requinte das cinco estrelas. O magnífico Parque Nacional Torres del Paine, com os seus picos glaciares extremos e a abundante flora e fauna, vale bem a viagem. Como explicam os proprietários do hotel, «conhecemos bem a nossa terra e a sua natureza ... é um território por explorar, um local para encontrar os segredos do mundo remoto». Explora en Patagonia encara o mundo como um lugar cheio de segredos e maravilhas da natureza, e convida os hóspedes a partir à sua descoberta. Caminhadas, *trekking* e equitação são as actividades disponíveis. Após um dia passado no esplendor dos lagos alimentados por glaciares e picos recortados cobertos de neve, o hóspede pode entregar-se aos cuidados do jacuzzi ao ar livre, à revigorante sauna, à massagem ou a um mergulho na piscina interior aquecida da Casa del Baños del Ona. Este incomparável «eco-lodge» de 28 quartos estimula os hóspedes a investigarem o ambiente natural das regiões remotas do Chile, a passarem por desafios (se assim desejarem) e, ao fim do dia, regressarem ao luxo sob a forma de confortáveis camas de penas, requintada gastronomia e relaxantes massagens suecas.

TRATAMENTO ESPECIAL: MASSAGEM SUECA

Explora en Patagonia
Sector Salto Chico Sn
Puerto Natales
Chile

TEL: +56 2 3952533
FAX: +56 2 2284655
EMAIL: reservexplora@explora.com
WEBSITE: www.explora.com

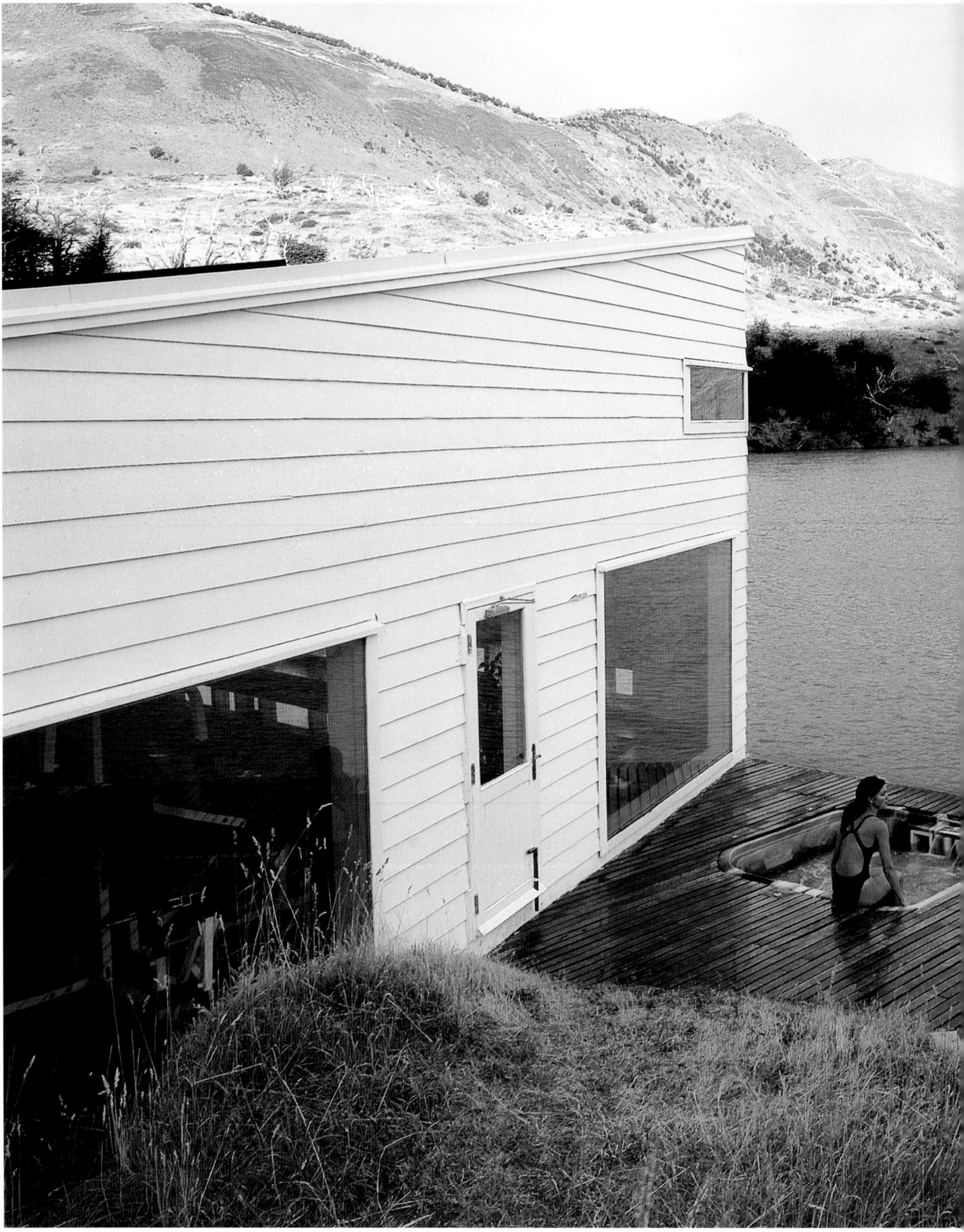

Explora en Atacama

Situado en los límites de San Pedro de Atacama, en el barrio de Ayllu de Larache, Explora en Atacama ocupa 17 hectáreas de escarpado paisaje chileno. El complejo consta de 50 habitaciones y un edificio principal de adobe dotado de barra de zumos naturales y té. En 2004, Atacama abrió la Casa del Agua, un balneario con manantiales de aguas profundas. En el recinto existen dos saunas y dos salas de vapor, así como diversas salas en las que recibir los imaginativos tratamientos marca de la casa. Explora tiene un catálogo propio de aceites, sales, cremas y productos de cuidado corporal de composición principalmente vegetal y mineral. Los tratamientos de la Casa del Agua incluyen fangoterapia, aromaterapia, hidroterapia, masajes de relajación, gemoterapia y masajes de Atacama. Explora propugna una inmersión en el entorno por medio de la aventura. La dirección pone a disposición de sus huéspedes guías especializadas que les permiten explorar los preciosos alrededores. A su elección queda realizar excursiones, safaris fotográficos, salidas en bicicleta de montaña o incluso visitas guiadas a los volcanes.

TRATAMIENTO CARACTERÍSTICO: MASAJE DE ATACAMA

Alla periferia di San Pedro de Atacama nella regione di Ayllu de Larache, il complesso dell'Explora en Atacama si sviluppa su una superficie di circa 17 ettari di aspro paesaggio cileno. Il complesso dispone di 50 camere e di un corpo centrale costruito laddove sorgeva una vecchia casa di adobe, che ospita un bar dove si possono gustare succhi di frutta naturali e tè. Nel 2004, l'Atacama ha inaugurato la Casa del Agua, un centro benessere con pozzi a cielo aperto alimentati da acque sotterranee. Il centro dispone di due saune e due sale per bagni di vapore, oltre ad una serie di cabine in cui effettuare i trattamenti prescelti tra la ricca selezione disponibile. Il complesso ha, inoltre, la propria linea di oli, sali, creme e prodotti per il corpo, i cui ingredienti principali sono erbe e minerali locali. I trattamenti offerti dalla Casa del Agua comprendono fangoterapia, aromaterapia, idroterapia, massoterapia, gemmoterapia, yoga e massaggi di Atacama. La filosofia dell'Explora è «immergersi nell'ambiente attraverso l'avventura attiva». La direzione mette a disposizione degli ospiti guide esperte che facilitano le escursioni nella bellissima località. Escursioni a piedi, safari fotografici, gite in mountain bike e escursioni sui vulcani sono solo alcune delle proposte.

TRATTAMENTO ESCLUSIVO: MASSAGGI DI ATACAMA

Localizado na ponta de San Pedro de Atacama, perto de Ayllu de Larache, Explora en Atacama ocupa 17 hectares de agreste paisagem chilena. A propriedade tem 50 quartos e um edifício principal, construído sobre uma antiga casa em adobe, que dispõe de um bar que serve sumo de frutas naturais e chá. Em 2004, o Atacama abriu a Casa del Agua, um spa com poços ao ar livre que se alimentam de águas profundas. Há duas saunas e dois banhos turcos, assim como salas para nos entregarmos aos cuidados da criativa linha de tratamentos do spa. O Explora também dispõe de uma gama própria de óleos, sais, cremes e produtos para o corpo, cujos principais ingredientes são plantas medicinais e minerais da região. Os tratamentos da Casa del Agua incluem máscaras de lama, aromaterapia, hidroterapia, massagens de relaxamento, gemoterapia, ioga e massagens de Atacama. A filosofia do Explora baseia-se na imersão ambiental através de aventuras activas. A gerência põe os hóspedes em contacto com guias especializados para facilitar a exploração daquele lugar magnífico. Caminhadas, safaris fotográficos, passeios de bicicleta de montanha e excursões a vulcões são algumas das opções disponíveis.

TRATAMENTO ESPECIAL: MASSAGEM DE ATACAMA

Explora en Atacama
Ayllú de Larache
San Pedro de Atacama
Chile

TEL: +56 55 851110
FAX: +56 55 851115
EMAIL: reservexplora@explora.com
WEBSITE: www.explora.com

Four Seasons Resort Carmelo

Oculto tras un pinar sudamericano, el hotel balneario Four Seasons Resort de Carmelo (Uruguay) ofrece a sus huéspedes un auténtico banquete para los sentidos. Carmelo es una población sudamericana auténtica, en la que la influencia del turismo todavía no se ha hecho notar. El balneario, de inspiración asiática, aspira a restaurar el *ying* y *yang* del universo, y proporciona un punto de encuentro equilibrado para hombre y mujer, sol y luna, vista y tacto. El uso de sales, algas, vino uruguayo y miel de sésamo en los tratamientos aúna la atmósfera panasiática y su ubicación en América del Sur. Los tratamientos del balneario se inspiran en las cuatro estaciones de las que el hotel toma su nombre. Uno de los tratamientos, por ejemplo, consiste en cuatro combinaciones distintas de masajes y aromas que evocan consecutivamente las sensaciones de invierno, primavera, verano y otoño. Entre los demás tratamientos característicos destacan el Ritmo Sudamericano, consistente en un profundo masaje al ritmo de música latina, y la Fusión Asiática, en la que el peso corporal del terapeuta sustituye la presión muscular en la transmisión de presión y energía, con extraordinarios efectos terapéuticos. Pese a su reducido tamaño (tan sólo 44 cabañas), el complejo pone a su disposición un campo de golf de primera categoría, así como instalaciones de equitación, tenis y deportes acuáticos, un gimnasio y le ofrece la posibilidad de practicar la pesca en el Río de la Plata.

TRATAMIENTO CARACTERÍSTICO: TRATAMIENTO DE VINOTERAPIA PIEL DE SEDA

Nascosto in un bosco di pini sudamericani, il complesso del Four Seasons Resort and Spa di Carmelo, Uruguay, offre ai suoi ospiti un'esperienza sensoriale completa. Carmelo è un'autentica città sudamericana che, tuttavia, risente molto dell'influenza del turismo. I trattamenti offerti dal centro benessere del complesso, che si ispirano alle tradizioni asiatiche, puntano a ripristinare lo yin e yang dell'universo, fornendo un ambiente che vuole creare un equilibrio tra uomo e donna, sole e luna, vista e tatto. L'uso di sali, alghe, vino uruguayano e miele al sesamo per i trattamenti per il corpo combina l'atmosfera panasiatica con l'ubicazione sudamericana. I trattamenti del centro benessere s'ispirano alle quattro stagioni, da cui l'albergo prende il nome. Ad esempio, un trattamento per tutto il corpo comprende quattro diversi tipi di massaggi e combinazioni di fragranze destinate ad evocare le sensazioni consecutive di inverno, primavera, estate e autunno. Altri trattamenti esclusivi sono il South American Beat, che, come dice il nome, consiste in un massaggio dei tessuti profondi al ritmo della musica sudamericana, mentre Asian Blend sfrutta il peso del terapista anziché la sua forza muscolare per trasmettere la pressione o l'energia, creando un effetto altamente terapeutico. Sebbene disponga di appena 44 bungalow, il complesso del Carmelo può vantare un campo da golf che ospita anche tornei, maneggio, campi da tennis e possibilità di praticare sport acquatici, palestra e centro benessere, e la pesca sul Rio de la Plata.

TRATTAMENTO ESCLUSIVO: SILK WINE TREATMENT

Escondido num pinhal sul-americano, o Four Seasons Resort and Spa em Carmelo, no Uruguai, proporciona uma completa experiência dos sentidos aos seus hóspedes. Carmelo é uma genuína localidade sul-americana que ainda não se rendeu à excessiva influência do turismo. Os tratamentos de spa de inspiração asiática deste *resort* procuram restaurar o yin e o yang do universo, proporcionando um ambiente de equilíbrio que une homem e mulher, Sol e Lua, visão e tacto. A utilização de sal, algas marinhas, vinho uruguaio e mel de sésamo nos tratamentos corporais estabelece uma ponte entre esta atmosfera pan-asiática e a sua localização sul-americana. Os tratamentos do spa foram inspirar-se no nome do hotel, as quatro estações. Um dos tratamentos, por exemplo, é uma experiência corporal completa que envolve quatro massagens diferentes e combinações aromáticas concebidas para evocar as sensações consecutivas do Inverno, Primavera, Verão e Outono. Entre outros tratamentos especiais incluem-se o sugestivo South American Beat, que inclui uma massagem profunda ao som de música sul-americana, ao passo que no Asian Blend é utilizado o peso corporal do terapeuta em vez da força muscular para transmitir pressão ou energia, criando um efeito altamente terapêutico. Embora construído a uma escala intimista com apenas 44 *bungalows*, o Resort Carmelo coloca à disposição dos hóspedes um campo de golfe de competição, instalações para equitação, ténis e desportos aquáticos, um *health club* e spa, e pesca no Rio de la Plata.

TRATAMENTO ESPECIAL: TRATAMENTO SILK WINE

Four Seasons Resort Carmelo
Ruta 21, Km 262
Carmelo, Dpto. de Colonia
Uruguay

TEL: +598 5429000
FAX: +598 5429999
EMAIL: world.reservations@fourseasons.com
WEBSITE: www.fourseasons.com/carmelo

Quellenhof
Photographs by Reto Guntli
Friedrichsbad Spa
Photographs courtesy Friedrichsbad Spa

Brenner's Park-Hotel & Spa
Photographs by Reto Guntli

Liquidrom at the Tempodrom
Architect/Designer: Meinhard von Gerkan,
Micky Remann
Images courtesy Liquidrom, Photographs
by Linda Troeller

Blue Lagoon
Photographs by Ragnar Th. Sigurdsson
Images: www.arctic-images.com

Capri Palace Hotel & Spa
Photographs courtesy the Capri Palace

Vigilius Mountain Resort
Photographs by Agi Simões/zapaimages

Bulgari Hotel
Photographs by Reto Guntli/zapaimages

Grotta Giusti Spa & Hotel
Photographs courtesy Grotta Giusti Spa & Hotel

Les Thermes Marins de Monte-Carlo
Architect: Rue and Lionel Bureau
Photos courtesy Les Thermes Marins de Monte-Carlo

Sofitel Thalassa Vilalara
Photographs courtesy Accor Hotels

Sturebadet
Interior Architect: Hjalmar Molin
Photographs courtesy Stockholms Badhus

Victoria-Jungfrau Grand Hotel & Spa
Photographs by Bruno Helbling/zapaimages

Lenkerhof Alpine Resort
Photographs by Bruno Helbling/zapaimages

Therme Vals
Architect: Peter Zumthor
Photographs by Agi Simões/zapaimages (pp. 250–253,
256–257) and H. P. Schultz (pp. 254–255 and 258–259)

Çemberlitas
Architect: Mimar Sitan
Photographs David Arnott, Panos Pictures

Chewton Glen Spa
Architect: LRF Designers International
Interior Designer: Brigitte Skan
Photographs courtesy Chewton Glen

Harrogate Turkish Baths & Health Spa
Architect: Frank Bagally and Fred Bristowe (1897)
Photographs courtesy Harrogate Turkish Baths &
Health Spa

Pages 270–271:
Photograph courtesy of the Four Seasons Hualalai

Willow Stream at the Fairmont Banff Springs
Architect: Bruce Price
Photographs courtesy Fairmont Hotels & Resorts

King Pacific Lodge
Photographs courtesy Rosewood Hotels & Resorts

Sanctuary on Camelback Mountain
Architect: Marc Philip
Interior Designer: Judith Testani
Photographs courtesy Sanctuary at
Camelback Mountain

Calistoga Ranch
Photographs by Bryan Burkhart

Sagewater Spa
Architect/Designers: Rhoni Epstein, Cristina Pestana
Photographs by Marcelo Coelho

The Golden Door
Photographs courtesy The Golden Door

Hotel Healdsburg
Architect: David Baker and Partners
Photographs by Cesar Rubio

The Carneros Inn
Architect: William Rawn & Associates
Photographs courtesy The Carneros Inn

Ojai Valley Inn & Spa
Architect: Wallace Neff
Photographs courtesy Ojai Valley Inn & Spa

Viceroy Palm Springs
Interior Designer: Kelly Wearstler
Photographs by Grey Crawford

The Spa du Soleil at the Auberge du Soleil
Architect: Walker & Moody Architects
Photographs by Terence Ford

Tru
Architect/Designer: New World Design Builders/
Chris Kofitsas
Photographs by Eric Laignel

Kenwood Inn + Spa
Architects: Terry and Roseann Grimm
Photographs by James Garrahan

International Orange
Architect: Philip Banta & Associates
Photographs courtesy International Orange

The Spa at Amelia Island Plantation
Architect: Robert Henry
Photographs by Dan Bibb

Agua at the Delano Hotel
Architect: PMG Architects
Interior Designer: Philippe Starck
Photographs by Eric Laignel

Château Élan Spa
Interior Designer: Nancy Panoz
Photographs courtesy Château Élan

Spa Suites at the Kahala Mandarin Oriental
Designer: Henricksen Design Associates
Photographs courtesy Mandarin Oriental

Spa Halekulani
Interior Design: Philpotts & Associates
Photographs courtesy the Halekulani

Four Seasons Resort Hualalai at Historic Ka'upulehu
Photographs courtesy the Four Seasons Hotels & Resorts

The Fairmont Orchid
Photographs courtesy the Fairmont Hotels & Resorts

Four Seasons Resort Maui at Wailea
Architect: Island Design Center
Photographs courtesy the Four Seasons Hotels & Resorts

Ten Thousand Waves
Architect/Interior Designer: Duke Klauck (owner)
Photographs by D. Fleig

Clay
Architect/Interior Designer: Studios Architecture
Photographs by Eric Laignel

Maximus Soho
Architect/Designer: New World Design Builders
Chris Kofitsas
Photographs courtesy Maximus Soho

The Kiawah Island Club's Sasanqua
Interior Designer: Clodagh
Photographs by Daniel Aubry

The Spa at Sundance
Architect/Interior Designer: Joyce Popendorf
Photographs by Susan Spaeth

Amangani
Architect/Interior Designer: Edward Tuttle
Photographs courtesy Aman Resorts

Pages 406–407:
Photograph by Michael Plumridge

Bedarra Island
Architect: Pike Withers
Photographs courtesy P & O Australian Resorts

Daintree Eco Lodge & Spa
Architect/Interior Designer: Hans & Jan Eyeman
Photographs courtesy Daintree Eco Lodge & Spa

Namale
Architect/Interior Designer: Vitti Architecture
Photographs by Michael Plumridge

Bora Bora Lagoon Resort
Architect/Interior Designer: Fracois Jaulin
Photographs courtesy Bora Bora Lagoon Resort

Pages 426–427:
Photograph courtesy Maroma Resort & Spa

Esperanza
Architects: Backen/Gillam Architects;
Mario Maldonado of GV Arquitectos
Designers: Chhada Siembieda Remedios, Inc.
Photographs courtesy Esperanza

Las Ventanas al Paraíso
Designer: Wilson & Associates
Photographs courtesy Las Ventanas al Paraíso

Hotelito Desconocido
Owner /Developer: Marcello Murzilli
Photographs courtesy Hotelito Desconocido

Maroma Resort & Spa
Architect/Interior Designer: Jaque Robertson,
Chris Britton, Graham Viney
Photographs courtesy Venice Simplon-Orient-Express, Ltd.

Verana
Architect/Interior Designer: Heinz Legler
and Veronique Lievre
Photographs by Jae Fineberg

Explora en Patagonia
Architect: German del Sol
Photographs courtesy Explora Hotels (pp. 454–457)
and Tuca Reinés (pp. 458–463)

Explora en Atacama
Architect: German del Sol
Photographs by Tuca Reinés

Four Seasons Resort Carmelo
Photographs of the Four Seasons Hotels & Resorts

Page 476:
Photograph courtesy Stockholms Badhus

Page 478:
The Bath in Plummers, 1559
Photograph courtesy picture alliance/akg-images

477

Autores y colaboradores

Allison Arieff es la editora jefe de *Dwell*, revista de la que fue fundadora y principal editora. Es coautora de los libros *Prefab* y *Trailer Travel: A Visual History of Mobile America*, y ha editado numerosos libros de arte y cultura, entre los que cabe destacar *Airstream: The History of the Land Yacht*, *Hatch Show Print: The History of A Great American Poster Shop* y *Cheap Hotels*.

Bryan Burkhart es director creativo de la empresa de diseño Modernhouse. Es el coautor y diseñador de los libros *Airstream: The History of the Land Yacht*, *Prefab* y *Trailer Travel: A Visual History of Mobile America*, y se ocupó del diseño de *Cheap Hotels*. Burkhart ha realizado trabajos de diseño, entre otras compañías, para Apple, Sony, Taschen, Chronicle Books, la revista *Dwell* y Meta Design. Alllison Arieff y Bryan Burkhart residen en San Francisco.

Adrienne Arieff es la directora de Arieff Communications, una empresa de relaciones públicas y representación de marcas en San Francisco (California). Escribe una columna sobre balnearios en la revista *Empire* de Nueva York, y puede encontrársela a menudo de viaje, probando tratamientos exóticos por todo el mundo.

Deborah Bishop colabora habitualmente en la revista *Dwell* y es la autora de *StyleCity San Francisco* (Thames & Hudson) y *Hello Midnight: An Insomniac's Literary Bedside Companion* (Simon & Schuster). Vive en San Francisco.

Irene Ricasio Edwards, ex editora de *Condé Nast Traveler* y *ONE Media*, es ahora editora ejecutiva de la revista *7x7* de San Francisco. Su infancia transcurrió entre Manila, Milán y Nueva York, y es una apasionada trotamundos que lleva consigo su pasaporte dondequiera que va.

Autori e collaboratori

Allison Arieff è direttore di *Dwell*, già redattore responsabile e fondatore della rivista. Collabora alla pubblicazione di *Prefab* e *Trailer Travel: A Visual History of Mobile America*, e ha curato diversi libri di arte e cultura tra cui *Airstream: The History of the Land Yacht*, *Hatch Show Print: The History of A Great American Poster Shop*, e *Cheap Hotels*.

Bryan Burkhart è direttore creativo di *Modernhouse*, una società di design. È designer e coautore di *Airstream: The History of the Land Yacht*, *Prefab* e *Trailer Travel: A Visual History of Mobile America*, nonché designer del libro *Cheap Hotels*. Burkhart ha curato il design per diverse società tra cui Apple, Sony, Taschen, Chronicle Books, la rivista *Dwell* e Meta Design. Allison Arieff e Brian Brukhart vivono a San Francisco.

Adrienne Arieff è direttore di Arieff Communications, una società di pubbliche relazioni e branding con sede a San Francisco, California. È responsabile di una rubrica dedicata ai centri benessere per *Empire Magazine*, un giornale newyorkese, e la si può incontrare spesso in diverse parti del mondo impegnata a provare nuovi trattamenti benessere esotici.

Deborah Bishop collabora con la rivista *Dwell* ed è autrice di *StyleCity San Francisco* (Thames & Hudson) e di *Hello Midnight: An Insomniac's Literary Bedside Companion* (Simon & Schuster). Vive a San Francisco.

Irene Ricasio Edwards, ex redattore per *Condé Nast Traveler* e *ONE Media*, è il direttore esecutivo della rivista *7x7* di San Francisco. Cresciuta tra Manila, Milano e New York, è un'appassionata di viaggi e ha il passaporto sempre con sé, ovunque vada.

Autores e colaboradores

Allison Arieff é chefe de redacção da Dwell, tendo sido a primeira editora sénior da revista. É co-autora de *Prefab* e *Trailer Travel: A Visual History of Mobile America* e editora de numerosos livros sobre arte e cultura, incluindo *Airstream: The History of the Land Yacht*, *Hatch Show Print: The History of A Great American Poster Shop* e *Cheap Hotels*.

Bryan Burkhart é director criativo da empresa de design Modernhouse. É o designer e co-autor dos livros *Airstream: The History of the Land Yacht*, *Prefab* e *Trailer Travel: A Visual History of Mobile America* e o designer do livro *Cheap Hotels*. Burkhart já produziu trabalho de design para empresas como a Apple, Sony, Taschen, Chronicle Books, revista Dwell e Meta Design. Allison Arieff e Bryan Burkhart residem em São Francisco.

Adrienne Arieff é directora da Arieff Communications, uma empresa de relações públicas e gestão de marcas de produtos de consumo sediada em São Francisco, Califórnia. É autora de uma rubrica sobre spas para a Empire Magazine de Nova Iorque, viajando com frequência para experimentar tratamentos de spa exóticos em todo o mundo.

Deborah Bishop, colaboradora editorial da revista *Dwell*, é autora de *StyleCity San Francisco* (Thames & Hudson) e *Hello Midnight: An Insomniac's Literary Bedside Companion* (Simon & Schuster). Reside em São Francisco.

Irene Ricasio Edwards, antiga editora na Condé Nast Traveler e ONE Media, é editora executiva da revista 7x7 em São Francisco. Tendo crescido em Manila, Milão e Nova Iorque, é uma viajante entusiasta que leva consigo o passaporte para todos os locais que visita.